Love

eran Kabul Kathmandu

Delhi

ПАУЛО КОЭЛЬО

ХИППИ

МОСКВА
2018

УДК 821.134.3-31(81)
ББК 84(7Бра)-44
К76

Paulo Coelho

HIPPIE

Перевод на русский язык *Александра Богдановского*

Редактор *Лея Любомирская*

Коэльо, Пауло.

К76   Хиппи / Пауло Коэльо ; [пер. с португ. А. Богданов-
ского]. — Москва : Эксмо, 2018. — 320 с.

ISBN 978-5-04-097050-6

«Все, о чем повествуется здесь, было прожито и пережито мной
лично». Так начинается роман мегапопулярного сегодня писателя Пауло Коэльо.

А тогда, в 70-е, он только мечтал стать писателем, пускался в
опасные путешествия, боролся со своими страхами, впитывал атмо-
сферу свободы распространившегося по всему миру движения хиппи.
«Невидимая почта» сообщала о грандиозных действах и маршрутах.
Молодежь в поисках знания, просветления устремлялась за духовными
наставниками-гуру по «тропам хиппи» к Мачу Пикчу (Перу), Тиахо-
нако (Боливия), Лхасы (Тибет).

За 70 долларов главные герои романа Пауло и Карла совершают
полное опасных приключений путешествие по новой «тропе хиппи»
из Амстердама (Голландия) в Катманду (Непал). Что влекло этих смелых
молодых людей в дальние дали? О чем мечтало это племя без вождя?
Почему так стремились вырваться из родного гнезда, сообщая родителям: «Дорогой папа, я знаю, ты хочешь, чтобы я получила диплом, но
это можно будет сделать когда угодно, а сейчас мне необходим опыт».

Едем с ними за мечтой! Искать радость, свойственную детям, посетить то место, где ты почувствуешь, что счастлив, что все возможно
и сердце твое полно любовью!

УДК 821.134.3-31(81)
ББК 84(7Бра)-44

ISBN 978-5-04-097050-6

О, Мария, без греха зачатая, моли бога о нас, к тебе прибегающих.

И дали знать Ему: Матерь и братья Твои стоят вне, желая видеть Тебя.

Он сказал им в ответ: матерь Моя и братья Мои суть слушающие слово Божие и исполняющие его.

Лк. 8:20—21

Я подумал, что путь подходит к концу
Что исчерпал себя
Что путь вперед закрыт
Что припасы иссякли
Что пришел час укрыться
В безмолвии тьмы
Но тут вдруг узнал
Постоянство твоего влеченья
И когда усталый язык позабыл прежние слова
Новые мелодии расцвели в моем сердце
И там где обрывались старые дороги
Возник новый мир

Рабиндранат Тагор

Посвящается Кабиру, Руми,
Тагору, Пауло де Тарсо, Хафезу,
которые со дня нашей встречи идут со мною рядом,
которые написали главы в книге моей жизни,
рассказанные здесь — порою их словами.

Все, о чем повествуется здесь, было прожито и пережито мной лично. Иногда мне приходилось изменять порядок эпизодов, имена и приметы людей, спрессовывать события, избегая повторов, но все, что здесь рассказано — было на самом деле. Я писал в третьем лице, чтобы мои герои говорили своим голосом, описывая собственную жизнь.

В сентябре 1970 года право называться центром мира оспаривали лондонская Пикадилли и амстердамская площадь Дам. Однако многие не знали об этом, и спроси у них кто, ответили бы — Белый Дом в Соединенных Штатах и Кремль в Советском Союзе. Но эти «многие» черпали сведения из газет, телевидения и радио, — словом, из средств массовой информации, — давно устаревших, которым никогда больше не обрести свое прежнее значение, то, каким было оно при их появлении.

В сентябре 1970 года авиабилеты были безумно дороги, и путешествия могли позволить себе только немногие избранные. Впрочем, это почти или совсем не касалось огромного множества молодых людей, о которых СМИ если и упоминали, то исключительно живописуя их внешний вид: они, мол, отпускают себе длинные волосы, носят яркую и разноцветную одежду, не моются (что было неправдой, но юнцы не читали газет, а люди взрослые верили во все, что могло хоть как-то опорочить тех, кто «представлял угрозу обществу и добропорядочности»), а кроме того, подавая отвратительный пример целому поколению своих сверстников, намеренных преуспеть в жизни, прельщают их идеями «свободной любви» и прочими проявлениями аморализма. Ну и ладно — у молодых людей обоего пола, о которых газеты отзывались с таким презрением, имелась собственная система распространения информации, совершенно недоступная для посторонних.

«Невидимая почта» вовсе не предназначена была для рекламирования новой модели «Фольксвагена» или нового сорта стирального порошка, неустанно навязываемых потребителю во внешнем мире. Информация сводилась лишь к тому, где возьмет начало очередная дорога, по которой двинутся эти наглые, косматые, грязные парни и девицы, живущие в свальном грехе и одевающиеся так, как ни один порядочный человек себе не позволит. Девчонки с вплетенными в косы цветами и в юбках до полу, в цветастых рубашках и, разумеется, без лифчиков, зато в ожерельях и бусах всех видов и размеров; юноши с нестриженными волосами и бородами, в джинсах, заношенных и рваных от непрерывной носки — очень уж трудно было купить новые, джинсы были дороги во всем мире, за исключением Соединенных Штатов, где бывшая спецодежда вышла из рабочих гетто и перебралась на грандиозные концерты и фестивали в Сан-Франциско и окрестностях.

«Невидимая почта» существовала прежде всего потому, что люди, приходившие на эти концерты, хотели знать, где они должны встретиться, и как им посмотреть мир не из окон туристических автобусов, где путешественники помоложе томятся от рассказов гида, а постарше — дремлют. И вот так, из уст в уста, перелетали вести о том, где состоится ближайшее грандиозное действо и где начнется ближайший маршрут. И ни для кого не было никаких финансовых ограничений, потому что любимым писателем всего этого сообщества был не Платон и не Аристотель, и даже не авторы комиксов, обретших в те дни громкую славу и неимоверную популярность. Великая книга, без которой никто не пускался в путь по Старому Свету, называлась «Европа за пять долларов в день» и написал ее Артур Фроммер. Из нее узнавали, где переночевать, что посмотреть, где поесть и где послушать живую музыку, не платя практически ничего.

Единственная ошибка Фроммера была в том, что он ограничился Европой. Разве не было в мире иных достопримечательностей? Разве многих не тянуло в Индию сильней, чем в Париж? Автор исправил свой промах несколько лет спустя, но еще до этого «Невидимая почта» проложила маршрут в Южную Америку, к затерянному в Андах заброшенному городу под названием Мачу Пикчу, предупредив всех, чтобы не сообщали ничего людям, не причастным к движению хиппи — иначе там все немедленно заполонят варвары с фотоаппаратами и пространными объяснениями (тут же, впрочем, забываемыми) того, как племя индейцев сумело выстроить город и спрятать так, что найти его можно было только с высоты птичьего полета — то есть нельзя, ибо люди, как известно, летать не умеют.

Будем справедливы — имелся еще один мировой бестселлер, быть может, не столь популярный, как книга Фроммера, но зато покупали его те, кто уже переболел социализмом, марксизмом, анархизмом и горько разочаровался в системе, придуманной людьми, заявлявшими, что «пролетарии всех стран неизбежно возьмут власть». Или что «религия есть опиум для народа» — было совершенно ясно: тот, кто выдумал эту чушь, ничего не понимал ни в религии, ни в народе, а в опиуме — еще того меньше. Потому что оборванные юнцы верили и в Бога, и в богов, и в богинь, и в ангелов и много еще в кого. Единственное, в чем можно было упрекнуть эту книгу под названием «Утро магов», сочиненную французом Луи Повельсом и бывшим советским шпионом Жаком Бержье, — математиком и неутомимым исследователем оккультизма, — и утверждавшую нечто обратное тому, что декларировали политические учебники: что мир состоит из множества невероятно интересных вещей, что в нем существуют алхимики, маги, катары, храмовники и так далее, — была ее запредельная цена, обеспечившая стойкий коммерческий неуспех издания, поскольку на добрый десяток читателей приходился только один купленный экземпляр. Однако в этой книге был упомянут Мачу Пикчу, и молодые люди со всего света воспылали желанием отправиться в Перу (впрочем, «со всего света» это, конечно, преувеличение, потому что гражданам Советского Союза выехать за границу было гораздо труднее).

Но так или иначе те молодые люди со всех концов земли, которые обладали, по крайней мере, одним бесценным сокровищем — заграничным паспортом, — оказались на так называемых «тропах хиппи». Никому не было в точности известно, откуда взялось слово «хиппи» и что именно оно значило, но это было неважно. Быть может, оно примерно соответствовало понятию «крупное племя без вождя» или «безобидные маргиналы», или всем прочим определениям, приведенным в начале этой главы.

Паспорт — эта маленькая книжечка, выданная правительством и хранящаяся в бумажнике вместе с деньгами (много ли их или мало — в данном случае неважно) — имеет два предназначения. Во-первых, как всем известно, с его помощью можно пересекать границы — если только начитавшиеся газет пограничники не завернут путешественника обратно, поскольку не привыкли к такой одежде, к такой волосне, к цветочкам и ожерельям, к бусам и бисеру и к таким улыбкам, будто выражающим непрерывный экстаз, обычно, хотя и несправедливо, приписываемый действию дьявольского зелья, якобы потребляемого этими юнцами во все возрастающих количествах.

Вторая функция паспорта — избавить своего носителя и подателя от экстремальных ситуаций: когда, например, кончились деньги и неизвестно, что делать. Все та же «Невидимая почта» всегда предоставит информацию о том, где его, паспорт этот, можно будет продать. Цена зависит от гражданства: например, паспорт Швеции, где все граждане белокуры, долговязы и голубоглазы, стоит недорого, поскольку может быть перепродан только тому, кто наделен таким же набором черт, а они, как правило, встречаются не слишком часто. А вот бразильский паспорт на черном рынке потянет целое состояние — поскольку удостоверяет подданство государства, где, помимо длинных голубоглазых блондинов, имеются рослые или приземистые чернокожие с темными глазами, азиаты с глазами раскосыми, а также мулаты, индейцы, арабы, евреи и невообразимая смесь всех вышеперечисленных, что и делает этот документ одним из самых вожделенных в мире.

Продав свой паспорт, его бывший обладатель направляется прямиком в консульство своей страны и, изображая ужас и смятение, сообщает, что его ограбили и отняли все — и деньги, и документы. Консульские работники богатых стран предлагают новый паспорт и бесплатный билет к месту проживания, на что получают немедленный отказ со словами: «Мне тут задолжали крупную сумму, я должен сначала получить свои деньги». В консульствах бедных стран, где обычно правят более суровые режимы — военные диктатуры, например — устраивают посетителю форменный допрос, желая убедиться, что он не числится в списках террористов, разыскиваемых за подрывную деятельность. Убедившись, что эта девушка (или этот парень) чисты и невинны, консульские работники должны скрепя сердце оформить новые документы. В таких случаях и речи нет о бесплатном перелете в отчизну, ибо не нужен отчизне урод, способный развратить ее скромную, богобоязненную и воспитанную в почитании скреп, семейных устоев и священного права собственности.

Вслед за Мачу Пикчу настал черед Тиахуанако в Боливии. Потом — тибетской Лхасы, куда попасть было очень трудно: «Невидимая почта» сообщала о боях между монахами и китайской армией. Представить себе эту войну было невозможно, однако все верили в нее и никто не хотел в итоге длиннейшего путешествия оказаться в плену у тех или других. И наконец выдающиеся философы той эпохи — как раз в апреле текущего года их группа распалась — объявили, что высшая мудрость мира заключена в Индии. Этого оказалось достаточно, чтобы молодежь со всего света устремилась туда в поисках знания, просветления, духовных наставников-гуру, ради обетов нестяжания и встречи с «My Sweet Lord».

Впрочем, «Невидимая почта» не преминула сообщить, что духовный наставник Битлз Махариши Махеш домогался актрисы Мии Фэрроу, у которой на протяжении всей жизни случались только несчастливые романы: она и отправилась в Индию по приглашению Битлз в попытке исцелить травмы, связанные с сексуальностью, преследовавшие ее неотступно, будто плохая карма.

Однако все указывает на то, что эта карма перебралась вместе с ней туда же, где были Джон, Поль, Джордж и Ринго. По словам актрисы, она медитировала в пещере великого гуру, когда тот набросился на нее и едва не изнасиловал. К этому времени Ринго уже вернулся в Англию, потому что его жена не переносила индийской кухни, да и Маккартни тоже решил покинуть *ашрам*, убедившись, что толку от этого нет никакого.

В храме Махариши оставались только Джордж и Джон, когда Мия, заливаясь слезами, разыскала их и рассказала о том, что произошло. Оба немедленно собрали чемоданы, а когда Просветленный спросил, в чем дело, Леннон дал ему сокрушительный ответ:

— Ты же, сука, провидец? Ну, так провидь!

В сентябре 1970 года миром владели женщины — вернее сказать, юные хиппи. Мужчины мыкались туда-сюда, зная, что женщин влечет не модное поветрие — женщины куда лучше них разбирались в тонкостях движения, — и, решив раз и навсегда признать себя слабым и зависимым полом, усвоили привычку ходить как потерянные с невысказанной просьбой в глазах: «защити меня, я один в этом мире и никого не могу себе найти, мне кажется, что весь мир забыл меня, а любовь — покинула навсегда». Женщины сами теперь выбирали себе мужчин и думать не думали о замужестве, имея в виду лишь веселое и приятное времяпрепровождение, непременно включающее изобретательный интенсивный секс. И как в важных делах, так и в сущих пустяках решающий голос принадлежал женщинам. И потому, едва лишь «Невидимая почта» раструбила о попытке изнасилования Мии Фэрроу и о фразе Леннона, они немедленно решили изменить маршрут.

Так была создана очередная «тропа хиппи» — из Амстердама (Нидерланды) до Катманду (Непал) отправлялся автобус (проезд стоил приблизительно сто долларов), пересекая страны, которые тоже, наверно, были очень интересны — Турцию, Ливан, Иран, Ирак, Афганистан, Пакистан и часть Индии (заметим мимоходом, удаленную от местопребывания Махариши). Длилось путешествие три недели и покрывало астрономическое количество километров.

Карла сидела на площади Дам и спрашивала себя, когда же явится наконец человек, который будет сопровождать ее в этом волшебном, как она считала, странствии. Она бросила работу в Роттердаме (всего час езды на поезде), но поскольку вынуждена была экономить каждый гульден, то добиралась, так сказать, на перекладных и зайцем, а потому дорога заняла у нее почти целый день. Карла узнала об автобусном путешествии в Непал из одной полуофициальной газеты, — из тех, что с любовью, усердием и талантом выпускали люди, которым было что сказать миру, а потом продавали за бесценок.

После целой недели ожидания Карла начала беспокоиться. Она заговаривала с десятком парней со всего мира, которые хотели только одного — и дальше сидеть на этой площади, где не было ничего примечательного, кроме монумента фаллической формы, что, по идее, должно было стимулировать отвагу и мужественность. Но нет — никто из них не желал отправляться неизвестно куда.

И дело было не только в расстоянии — большинство прилетели из США, и из Латинской Америки, и из других стран, а путь этот был не только запредельно дорог, но и богат погранпостами, на любом из которых туриста могли завернуть восвояси, не дав ему возможности познакомиться с одной из двух мировых столиц. Тем не менее они все прилетели — долетели и сели: и сидели теперь на площади, покуривая марихуану и радуясь, что могут делать это на глазах у полицейских, пока их в буквальном смысле не начинали умыкать секты и сообщества, изобиловавшие в городе. И хоть на время они позабыли то, что слышали всю жизнь: «...сынок, ты должен идти в университет... подстричься... не позорить своих родителей, ибо люди (люди?) скажут, что мы тебя не воспитали должным образом... то, что ты слушаешь — не музыка, а черт знает что... пора устроиться на работу... бери пример с брата (или с сестры) — такой молодой, а уже сам зарабатывает достаточно на свои развлечения и денег из нас не тянет».

Вдали от этой нескончаемой канители они наслаждались свободой, Европа была безопасным местом, — по крайней мере, пока они не лезли за «железный занавес», куда-нибудь на коммунистическую территорию, — а в путешествии можно было узнать массу полезного, что позже пригодится в жизни, и, главное, тут не надо объясняться с родителями.

«Дорогой папа, я знаю, ты хочешь, чтобы я получила диплом, но это можно будет сделать когда угодно, а сейчас мне необходим опыт».

Но нет на свете отца, который понял бы такую логику, а потому оставалось лишь скопить немного денег, кое-что продать и выйти из дому, пока все спят.

И сейчас Карлу окружали люди свободные и решившиеся жить так, как многие не осмелились бы даже попробовать. Но почему бы не прокатиться на автобусе в Катманду, спрашивала она. Потому, отвечали ей, что это не Европа. Это совершенно неизвестная нам страна. Но если вдруг что-нибудь случится, настаивала она, всегда можно обратиться в консульство и попросить, чтобы нас отправили на родину. (Карла не знала ни одного подобного случая, но такова была легенда, а легенда, многократно повторенная, становится истиной.)

На пятый день ожидания человека, который согласился бы стать ее спутником, она уже начала отчаиваться — вместо того чтобы платить деньги за ночлег, она могла бы спокойно спать в «Мэджик басе» (таково было официальное название транспортного средства, готового везти ее за сто долларов и за многие тысячи километров). И Карла решила посетить ясновидящую — направляясь на площадь Дам, она каждое утро проходила мимо ее кабинета. Сегодня там, как всегда, было пусто — в сентябре 1970 года все либо уже обладали сверхъестественными способностями, либо стремительно развивали их. Но Карла была девушка практичная и, хотя медитировала ежедневно и не сомневалась, что у нее вот-вот откроется «третий глаз» — невидимая точка на переносице — почему-то до сих пор все встречала неподходящих молодых людей, хотя ее интуиция всякий раз подсказывала ей, что этот точно подойдет.

Потому она и решила обратиться к помощи ясновидящей, ибо бесконечное ожидание — прошла уже целая неделя, то есть целая вечность! — подталкивало ее к намерению подыскать себе не друга, а подружку. А это было бы просто самоубийством, поскольку предстояло пересечь множество стран, где две одинокие девушки в лучшем случае навлекли бы на себя подозрения, а в худшем — если верить бабушке — были бы проданы в рабство, и хотя Карле сочетание «белая рабыня» казалось эротичным, она не готова была к таким экспериментам со своим телом.

Ясновидящая по имени Лайла, оказавшаяся созданием чуть постарше Карлы, одетым с ног до головы в белое и с блаженной улыбкой на лице, свойственной тому, кто постоянно общается с Высшим Существом, приняла ее очень радушно (думая, наверно, при этом «наконец-то я заплачу за аренду») и предложила сесть, а когда Карла села — похвалила ее за то, что выбрала правильное место в комнате — там, где находится центр силы. Посетительница притворилась перед самой собой, что и в самом деле обрела третий глаз, но подсознательно понимала, что Лайла говорит это всем — вернее, тем немногим, кто к ней наведывается.

Наконец приступили к делу. Зажгли курильницу («это из Непала привезли», сообщила прорицательница, хотя Карла знала, что их изготовляют по соседству, благо это один из самых ходовых хиппи-товаров наряду с бусами, цветастыми рубашками, сумками в цветочек или с символом хиппи, или со словами «Власть Цветов»). Лайла стасовала колоду, попросила Карлу «снять», положила три карты и принялась толковать их в самой что ни на есть хрестоматийной манере. Карла остановила ее:

— Я не за этим пришла. Мне нужно знать всего лишь, встречу ли я попутчика, который поедет со мной туда... в то место, о котором вы упомянули... — последние слова она произнесла с нажимом, потому что не хотела, чтобы ее настигла плохая карма. Скажи она «я собираюсь туда, откуда взялась ваша курильница», дело, быть может, кончилось бы в одном из пригородов Амстердама, где находилась фабрика, выпускающая благовония, — ...упомянули, говоря о курениях.

Лайла улыбнулась, хотя внутри у нее все кипело от ярости — ее перебили в самый торжественный момент.

— Разумеется, встретишь. — Ясновидящие и гадальщики обязаны всегда говорить то, что хотят услышать их клиенты.

— И скоро ли?

— Прежде чем минет завтрашний день.

Обеим пришлось удивиться.

Карла впервые почувствовала, что Лайла говорит правду, потому что тон был участливый, уверенный, а голос, казалось, доносился из другого измерения. Лайла в свою очередь испугалась — не всякий раз происходило такое, а когда происходило, она испытывала страх перед карой за то, что бесцеремонно вторглась в этот мир, кажущийся и подлинным, и фальшивым. Да, боялась, хоть и молилась ночи напролет и оправдывалась, что поступала так исключительно ради того, чтобы помочь другим уверовать в то, чему они хотели верить.

Карла немедленно поднялась с «точки силы», расплатилась и вышла, чтобы не разминуться с тем, кого она ждала. «Прежде чем минет завтрашний день» звучало довольно расплывчато и неопределенно: может быть, речь шла о сегодняшнем дне? Но так или иначе она знала теперь, что ей есть кого ждать.

Она вернулась на прежнее место на площади Дам, раскрыла книгу, которую читала, и мало кому известную — что делало ее «культовой» — под названием «Властелин колец» Дж.Р.Р.Толкиена, рассказывавшего о мифических городах и весях, вроде тех, куда собиралась она сама. И делала вид, что не обращает внимания на парней, которые постоянно теребили ее дурацкими вопросами, ища вздорный предлог, чтобы завязать разговор еще более вздорный.

Пауло уже обсудил с аргентинцем все, что только можно было обсудить, и теперь оба смотрели на эти плоские равнины, хотя на самом деле были не здесь — вместе с ними странствовали воспоминания, имена, любопытство и, в первую очередь, огромный страх перед тем, что могло случиться на границе, до которой оставалось минут двадцать.

Пауло начал заправлять свои длинные волосы за ворот куртки.

— Кого ты думаешь обмануть этим? — спросил аргентинец. — Их не проведешь: они видели все и ко всему привыкли.

Пауло оставил свои попытки. И спросил, не страшно ли аргентинцу.

— Еще как! Прежде всего — потому, что у меня уже стоят две въездные визы в Голландию. Могут подумать, что я зачастил. А это будет значить только одно.

Наркотрафик. Но насколько Пауло знал, в Голландии наркотики не запрещены.

— Ошибаешься. Опиаты — под строгим запретом. То же самое — кокаин. Разумеется, ЛСД не проконтролируешь, потому что достаточно смочить книжную страницу или кусочек ткани в этой смеси — и продавай по кусочкам. Но за все, что поддается установлению, можно загреметь в тюрьму.

Пауло счел за благо прекратить разговор на этом месте, поскольку ему до смерти хотелось спросить аргентинца, везет ли он что-нибудь в этот раз, а уже одно это автоматически делало его соучастником преступления. Однажды он уже попадал в полицию, хоть ни в чем не был виноват — дело происходило в стране, где на дверях всех аэропортов написано: «Бразилия: люби ее или покинь ее».

Как всегда бывает, когда стараешься отмахнуться от неприятных мыслей, выбросить из головы их огромный негативный заряд, несущий с собой еще более дьявольскую энергию, от одного лишь воспоминания о случившемся в 1968 году его сердце забилось учащенно, и во всех подробностях воскрес в памяти тот вечер в ресторане на Понта-Гросса в Парана — бразильском штате, поставляющем паспорта для белокурых и светлоглазых.

Он возвращался тогда из своего первого долгого путешествия по «тропе хиппи». Вместе с тогдашней своей возлюбленной — она была на одиннадцать лет старше Пауло, родилась и выросла при коммунистическом режиме Югославии, происходила из знатной семьи, которая все потеряла при новой власти, но все же сумела дать дочери образование: та выучила четыре языка, сбежала в Бразилию, вышла замуж за миллионера (причем с правами совместного владения имуществом), бросила его, обнаружив, что он считает ее уже старой (ей было 33 года) и крутит роман с 19-летней, но благодаря великолепному адвокату получила такую компенсацию, что всю оставшуюся жизнь могла больше не работать — Пауло отправился в Мачу Пикчу на так называемом «поезде смерти», сильно отличавшемся от того, что представлял он собой сейчас.

— Почему его называют «поезд смерти»? — спросила она у человека, проверявшего билеты. — Ничего особенного в пути не было.

Пауло нисколько не интересовал ответ, но прозвучал он немедленно:

— В прежние времена этот состав использовали для перевозки прокаженных, а также тех, кто стал жертвой эпидемии желтой лихорадки, обрушившейся на регион Санта-Крус.

— Хочу верить, что вагоны после этого подверглись тщательной санитарной обработке.

— До сих пор, за исключением одного-двоих шахтеров, решивших свести счеты друг с другом, никто больше не пострадал.

Он имел в виду не жителей штата Минас-Жерайс, а боливийских шахтеров[1], работавших на оловянных рудниках. Что ж, мы живем в цивилизованной стране, будем надеяться, подумали Пауло и его спутница, что в этот день никто не

---

[1] Игра слов: «mineiro» значит и «шахтер», и житель штата Минас-Жерайс.

захочет устроить потасовку. Успокаивало их и то, что большинство в вагоне составляли женщины в котелках и в ярких одеждах.

Поезд прибыл в Ла-Пас, столицу страны, находящуюся на высоте 3610 метров над уровнем моря, но, выйдя из вагона, они не сразу ощутили, как разрежен здесь воздух. Однако вскоре увидели юношу-индейца в одежде своего племени — он сидел на земле в полуобмороке. И на вопрос, что с ним, ответил, что ему трудно дышать. Проходивший мимо человек посоветовал пожевать листья коки, свободно продающиеся на рынке — местным жителям этот племенной обычай помогает справиться с удушьем. Юноша уже пришел в себя и попросил оставить его, прибавив, что сегодня же отправляется в Мачу Пикчу.

Портье того отеля, который они выбрали, отозвала в сторонку возлюбленную Пауло, о чем-то коротко с ней переговорила и лишь потом зарегистрировала пару. Они поднялись в номер, часок поспали, но прежде Пауло спросил, о чем шла речь.

— Никакого секса в первые двое суток.

Понять это было легко. Никакого влечения они не испытывали — не хотелось вообще ничего.

В столице Боливии они провели два дня — без секса и не испытывая никаких последствий кислородного голодания. И оба пришли к выводу, что это — лечебный эффект листьев коки, хотя на самом деле кока здесь была ни при чем: явление, называемое «горной болезнью», возникает, когда люди быстро поднимаются на большую высоту над уровнем море (например, прилетают на самолете), и их организм не успевает перестроиться. А эти двое провели семь долгих суток в «поезде смерти», медленно поднимаясь в высокогорье. Это несравненно лучше и гораздо надежнее самолета — Пауло видел в аэропорту Санта-Крус де ла Сьерра памятник «героическим пилотам авиакомпании, отдавшим свои жизни при исполнении долга».

В Ла-Пасе они встретили первых хиппи, которые, как вселенское племя, сознающее свою ответственность и солидарность с собратьями, всегда носили знаменитый символ — перевернутую руну древних викингов. В Боливии же, где вообще все ходят в пончо, в расшитых бусами куртках, в цветастых рубашках, узнать своих можно только по этому знаку на одежде.

Хиппи

Первыми хиппи оказались двое немцев и канадка. Подруга Пауло говорила по-немецки, и ее тут же пригласили прогуляться по городу, а сам Пауло и канадка смотрели друг на друга и не знали, что им делать. Когда через полчаса троица вернулась, было решено не тратить здесь деньги, а немедленно отправиться к высочайшему в мире пресноводному озеру, переплыть его на чем-нибудь, высадиться на другом берегу уже на перуанской территории и двигаться прямиком на Мачу Пикчу.

Все шло бы в соответствии с намеченным планом, если бы по прибытии на берег Титикаки (так называлось это озеро) они бы не обнаружили там древнейший памятник под названием Ворота Солнца. А вокруг, взявшись за руки, сидели хиппи, а вновь прибывшие и боялись прервать ритуал, и хотели принять в нем участие.

Какая-то девушка заметила их, молча подала им знак, и они подсели к остальным.

Почему они находятся здесь, стало ясно сразу — ворота говорили за себя сами. В самой середине большого камня была щель — вероятней всего, от удара молнии — а вокруг нее были вырезаны великолепные рельефные изображения, рассказывающие истории былых времен — полузабытые, но живые, мечтающие, чтобы их вспомнили и открыли заново. Вдоль верхней кромки были изображены ангелы, боги, — утерянные символы культуры, которая, как утверждали местные жители, научит, как восстановить наш мир в случае, если человеческая алчность погубит его и уничтожит. Пауло сквозь отверстие в камне увидел озеро Титикака и заплакал, почувствовав свое кровное родство с создателями этого памятника — с теми, кто второпях покинул эти места, даже не докончив работу, кто ушел, словно испугавшись чего-то или выполняя чью-то волю и приказ все бросить. Девушка, позвавшая их в круг, тоже улыбалась сквозь слезы. Остальное время он просидел с закрытыми глазами, разговаривая с пришедшими раньше, допытываясь, что же привело их сюда.

Тот, кто хочет постичь магию, должен научиться видеть. Все, что Бог хотел сказать человеку, он поместил перед ним, гласит Традиция Солнца.

Традиция Солнца демократична: ее создали не для особо ревностных или чистых, но для обыкновенных людей. Сила заключена в каждой мелочи, из которых складывается стезя человека; мир — это школьный класс, и Высшая Любовь знает, что ты жив, и научит тебя.

И все молчали, постигая нечто такое, чего не могли бы объяснить словами, но зная, что в этом заключена истина. Одна из девушек запела на неведомом Пауло языке. Юноша — по виду самый старший здесь — поднялся, раскинул руки и произнес заклинание:

Да пошлет нам Всевышний Господь
Радугу — после каждой бури
Улыбку — после каждой слезинки
Благословение — на каждую трудность
Друга — на каждый миг одиночества
Ответ — на каждую нашу молитву

И как раз в этот миг раздался гудок парохода, который был построен в Англии, разобран на части и доставлен в один чилийский город, а оттуда караван мулов втащил его на высоту 3800 метров к берегу озера.

Все поднялись на борт и двинулись к древнему потерянному городу инков.

Они провели там незабываемые дни — потому что войти в этот город дано было лишь божьим детям, чистым духом и помыслами и готовым без страха встретить неведомое.

Ночевали в заброшенных домах, глядели сквозь дырявую кровлю на звезды, занимались любовью, нагишом купались в реке, протекавшей под горой, спорили о том, а в самом ли деле боги могли прилететь из космоса в этот уголок Земли. Все читали книгу одного швейцарца, который истолковывал рисунки инков как попытку изобразить звездных пришельцев, как читали и тибетского монаха Лобсанга Рампу, говорившего о третьем глазе — тут один англичанин рассказал всем собравшимся на главной площади Мачу Пикчу, что монаха этого не так давно разоблачил Далай-Лама[1]: на самом деле его звали Сирил Генри Хоскинс, и был он водопроводчик из британской глубинки.

Всех несколько обескуражило это сообщение, потому что, как и Пауло, они были твердо уверены, что между глазами расположена некая железа под названием «шишковидное тело», предназначение которой ученые до сих пор не определили. А значит, третий глаз все же существует — пусть не в таком виде, как описывал его Лобсанг Сирил Рампа Хоскинс.

На третьи сутки подружка Пауло решила, во-первых, что пора вернуться домой, а, во-вторых — не оставляя места сомнениям — что он должен сопровождать ее. Ни с кем не попрощавшись, не оглядываясь назад, они еще до рассвета тронулись в путь и два дня спускались по восточному склону горной гряды в автобусе, набитом людьми, живностью, снедью и кустарными поделками. Пауло воспользовался случаем и купил расшитую яр-

---

[1] На самом деле, разоблачил его австрийский исследователь Тибета Генрих Харрер, специально для этого нанявший частного детектива. (*Прим. ред.*)

кую сумку, которую можно было сложить и спрятать в рюкзак. Еще он зарекся путешествовать на автобусе, если дорога занимает больше суток.

Из Лимы автостопом добрались до Сантьяго — мир был надежен и безопасен, машины останавливались на призывный взмах руки, хотя водителей слегка пугал экстравагантный вид этой пары. Выспавшись, они попросили кого-то начертить им маршрут через горную гряду по туннелю, связывавшему Чили с Аргентиной. Потом опять же на попутных двинулись в сторону Бразилии — подружка сказала, что оставшиеся деньги надо приберечь на тот случай, если экстренно понадобится медицинская помощь: девушка как всегда была благоразумней, предусмотрительней и взрослее Пауло, и полученное ею коммунистическое воспитание никогда не давало ей расслабиться полностью.

Уже в Бразилии, в том штате, где у большинства на фотографиях в паспорте запечатлены белокурые светлоглазые люди, они по ее предложению решили остановиться еще раз.

— Давай посмотрим Вила-Велью. Говорят, это просто фантастическое место.

Они не предвидели, каким кошмаром обернется их любопытство.

Они не предчувствовали, в каком аду окажутся.

Они не приготовились к тому, что их ожидало. Они уже видели столько фантастических и единственных в своем роде мест, которым предстояло в недалеком будущем разрушиться под натиском орды туристов, мечтающих только накупить всякой всячины и сравнить купленное с тем, что уже есть у них дома. Но подружка произнесла эти слова, не оставив места сомнениям и не поставив в конце фразы вопросительный знак — это было просто сообщение.

Давай посмотрим Вила-Велью. Ну, разумеется, давай посмотрим. Фантастическое место. Геологическое чудо с изваяниями, созданными самой природой — водой и ветром — которое местная префектура желала во что бы то ни стало разрекламировать, чтобы заработать на нем побольше. Все знали о существовании Вила-Велью, но одни откровенно предпочитали ей пляжи ближайшего штата, а другие, конечно, хотели бы съездить, но считали, что больно уж сложно добираться.

Пауло и его возлюбленная оказались там единственными посетителями и долго дивились тому, как природа творит чаши, черепах, верблюдов — вернее сказать, как люди способны дать имена всему на свете, хотя тот же самый верблюд девушке показался плодом граната, а юноше — апель-

сином. В отличие от того, что они видели в Тиа-
уанако, эти изваяния из песчаника поддавались
любому истолкованию.

Оттуда опять же автостопом добрались до ближайшего города. Подружка Пауло, зная, что уже
скоро они будут дома, решила — она и в самом
деле решала все — впервые за много недель остановиться в хорошем отеле, а за ужином поесть наконец мяса. Этот регион Бразилии традиционно
славился своими стейками, которых они не ели
с тех пор, как покинули Ла-Пас — цены везде были головокружительными.

И они зарегистрировались в настоящем отеле,
вымылись, занялись сексом и потом спустились
в холл, чтобы узнать у портье, где можно поесть
до отвала по старой доброй бразильской системе[1].

Но покуда они ждали портье, к ним подошли
двое и без всяких церемоний предложили выйти наружу. Оба держали правую руку в кармане,
словно там лежало оружие, и явно хотели, чтобы
это было ясно и очевидно.

---

[1] Бразильская система заключается в том, что посетитель ресторана сидит за столиком, а к нему раз в пять-семь
минут подходит повар — так называемый «ассадор», —
с мясом на вертеле и отрезает кусочек прямо в тарелку.
Трапеза кончается, когда посетитель уже не в состоянии
впихнуть в себя больше ни крошки. (*Прим. ред.*)

— Тихо, тихо... — сказала подружка, решив, что их собираются грабить. — В номере у меня кольцо с бриллиантом.

Но их уже оторвали друг от друга и немедленно выволокли за двери отеля. На безлюдной улице стояли две машины безо всяких обозначений, и еще двое мужчин. Один наставил на них пистолет:

— Не двигаться! Не дергаться! Мы вас обыщем.

И они принялись грубо обшаривать Пауло и девушку. Она еще пыталась что-то сказать, а он от ужаса застыл как в столбняке. Он только и мог оглядеться в поисках свидетеля, который бы вызвал полицию.

— Молчи, сука! — сказал один из незнакомцев.

С Пауло и его девушки сорвали поясные сумки с паспортами и деньгами, а потом в тот же миг втолкнули обоих на задние сиденья машин.

Впереди сидел еще один человек.

— Надень на голову, — приказал он, протягивая Пауло мешок. — И сядь на пол.

Тот повиновался беспрекословно. Мозг его уже ни на что не реагировал. Машина рванула с места и сразу набрала скорость. Пауло хотел сказать, что у его родителей есть деньги и что они заплатят любой выкуп, но язык у него присох к нёбу.

Поезд начал замедлять ход, и это, вероятно, означало, что он приближается к голландской границе.

— Эй, парень, ты в порядке? — спросил аргентинец.

Пауло кивнул, подыскивая тему для разговора, чтобы, как нечистую силу, изгнать из головы тягостные мысли. Он уже больше года жил в Вила-Велью и почти научился обуздывать демонов своего рассудка, но стоило ему пусть случайно увидеть слово ПОЛИЦИЯ, как его вновь охватывала паника. Только на сей раз она сопровождалась целой историей, которую он уже не раз рассказывал приятелям, но неизменно оставался в отдалении и словно наблюдал за собой со стороны. Сегодня он впервые рассказывал ее самому себе.

— Если на границе завернут, ничего страшного, — сказал аргентинец. — Поедем в Бельгию и зайдем оттуда.

Пауло уже не хотелось разговаривать с ним — вернулась паранойя. А что, если они и впрямь перевозят тяжелые наркотики? А что, если его сочтут соучастником и засадят в тюрьму, пока он не сумеет доказать свою невиновность?

Поезд остановился. Это была еще не таможня, а маленький полустанок в пустынной местности: двое новых пассажиров вошли в вагон, пятеро — вышли. Аргентинец, видя, что Пауло к разговорам не склонен, решил оставить спутника в покое, наедине с его мыслями, но по лицу было заметно, что он явно озабочен.

— С тобой в самом деле все нормально? — спросил он еще раз.

— Я изгоняю демонов.

Аргентинец понял и больше не произнес ни слова.

Пауло знал, что здесь, в Европе, такого не бывает. Точнее, не происходит сейчас — и он неизменно недоумевал, как это люди в концлагерях покорно шли в газовые камеры, как стояли на краю братской могилы перед расстрельной командой и не сопротивлялись, видя, как падают убитые, не пытались убежать, не бросались с голыми руками на своих палачей.

Все очень просто: паника так сильна, что человек уже будто не здесь. Мозг заблокирован — нет уже ни страха, ни ужаса, а только странное подчинение тому неизбежному, что должно случиться. Эмоции исчезают, уступая место загадочному чувству нереальности, все уходит куда-то в туманную, покуда еще не исследованную учеными область. Врачи приклеивают ярлычок — «временная шизофрения, порожденная стрессом» и не заботятся о том, чтобы досконально изучить последствия явления, названного ими «аффективным уплощением».

И, быть может, он воскрешал в памяти эту историю ради того, чтобы окончательно изгнать призраки минувшего.

Человек на заднем сиденье казался помягче тех двоих, что схватили Пауло в отеле.

— Не бойся, — сказал он. — Мы тебя не убьем. Ложись на пол.

А Пауло уже и не боялся — голова не работала. Он словно входил в какую-то параллельную реальность, и мозг отказывался воспринимать происходящее.

— Можно держаться за вашу ногу? — только и сумел произнести Пауло.

Конечно, последовал ответ. И Пауло вцепился в ногу — вцепился изо всех сил и, наверно, даже крепче, чем надо, и причинил боль этому человеку, но тот не отдернул ногу, не отпихнул его. Он понимал, что́ должен чувствовать Пауло, и ему не доставляло ни малейшей радости, что молодой, полный жизни парень попал в такую передрягу. Однако он выполнял приказы.

Машина довольно долго кружила по городу, и чем больше кружила, тем крепче становилось убеждение Пауло, что везут его на смерть. Он уже отчасти начал понимать, что происходит — его похитили люди из военизированных отрядов и теперь он официально будет считаться пропавшим без вести. Но какая разница?

Машина остановилась. Его грубо выволокли наружу и потащили по какому-то коридору. Пауло обо что-то зацепился ногой и взмолился:

— Ради бога, не так быстро!

Тут его в первый раз ударили по голове.

— Заткнись, террорист!

Он упал. Ему приказали встать и раздеться догола, следя, чтобы не сполз мешок на голове. Он повиновался. Вслед за тем его начали избивать, а поскольку он не знал, откуда обрушится удар, то тело не успевало подготовиться, а мускулы — отреагировать и напрячься, и потому такой боли он не испытывал ни в одной драке, в которые встревал в юности. Он снова упал, и удары сменились пинками. Длилось это минут десять-пятнадцать, пока не раздался чей-то голос, приказавший прекратить.

Пауло не потерял сознание, но не знал и не мог удостовериться, целы ли у него кости — он не мог шевельнуться из-за острой боли. Меж тем тот же голос приказал ему встать. И снова посыпались вопросы о геррилье, о сообщниках, о том, что он делал в Боливии, контактировал ли с людьми Че Гевары, где спрятано оружие, и вопросы эти перемежались угрозами вырвать ему глаз, если будет доказано участие в подрывной деятельности. Другой голос, принадлежавший «доброму полицейскому», твердил свое. Лучше признайся по-хорошему. Расскажи о налете на банк — и тогда все разъяснится, Пауло за совершенные им преступления закатают за решетку, но бить больше не будут.

И в тот миг, когда ему с большим трудом удалось подняться на ноги, он вдруг почувствовал, что очнулся от своей летаргии и что к нему возвращается то, что он всегда считал свойством человеческой натуры — инстинкт самосохранения. Он должен выбраться отсюда. Он должен доказать свою непричастность.

Ему велели рассказать все, что он делал на прошлой неделе. Пауло в подробностях описал свое путешествие, хотя был уверен, что они и не слышали о Мачу Пикчу.

— Не теряй время на брехню, — сказал ему «злой». — И не пытайся нас обмануть. В твоем номере мы обнаружили карту. Тебя и твою блондиночку видели на месте преступления.

Карту?

Сквозь редкую мешковину он сумел различить рисунок, который по его просьбе кто-то сделал для него в Чили, указав на нем туннель, пересекающий горную цепь в Андах.

— Коммунисты считают, что победят на ближайших выборах. Что Альенде золотом Москвы сумеет коррумпировать всю Латинскую Америку. Но он ошибается. Какова твоя роль в альянсе, который они сколачивают? И какие у тебя связи в Бразилии?

Пауло клялся, что не имеет к этому никакого отношения, что все это неправда, что он всего лишь хотел путешествовать и познавать мир, — и постоянно спрашивал, где его подружка и что с ней сталось?

— А-а, это та, которую заслали к нам из коммунистической Югославии покончить с демократией в Бразилии? Она получает то, что заслужила, — ответил ему «злой».

Вновь было ожил и вернулся ужас, но Пауло сумел взять себя в руки. Надо было понять, как выбраться из этого кошмара. А значит — очнуться.

Ему пригрозили, что сыграют с ним в «телефон» — подключат к телу металлические клеммы и, завертев ручку, пустят ток: такого не выдерживают самые стойкие.

И тут при виде этого жуткого устройства Пауло вдруг осенило: он нашел выход. Отбросив покорность, он закричал:

— Думаете, я боюсь электрошока? Думаете, я

боюсь боли? Не беспокойтесь — я буду мучить себя сам. Я уже лежал в психушке — и не один, не два, а три раза, там через меня прогнали столько электричества, что я смело могу выполнить всю работу за вас. Да вы наверняка знаете об этом, вам ведь все обо мне известно.

С этими словами он начал ногтями в кровь раздирать себе лицо и тело, крича, что пусть они хоть убьют его, ему наплевать — он верит в переселение душ и рано или поздно явится за ними с того света. За ними и их близкими. Кто-то подскочил, схватил его за руки. Судя по всему, он сумел напугать тех, кто вел допрос, хотя никто не произнес ни слова.

— Прекрати, Пауло, — сказал «добрый полицейский». — Успокойся. Объясни тогда, что это за карта.

Пауло отвечал ему так, словно находился в припадке буйного помешательства. И диким криком описал происходившее в Сантьяго — им нужно было понять, как добраться до туннеля между Чили и Аргентиной.

— А где моя девушка?! Что с моей девушкой??!

Он кричал все громче и пронзительней, надеясь, что этот крик долетит до нее. «Добрый» пытался утихомирить его — как видно, он еще не вполне озверел и оскотинился на своей работе.

Не трясись ты, уговаривал он Пауло, приди в себя, если не виноват, тебе нечего бояться, но нам придется проверить все, а потому ты останешься здесь на какое-то время. На какое именно, не сказал. Угостил Пауло сигаретой. Тот заметил, что все остальные вышли из комнаты, будто утратив к нему интерес. «Добрый» сказал:

— Дождись, когда за мной закроется дверь — и можешь снять с головы мешок. Услышишь стук — снова наденешь. Как только мы соберем все необходимые сведения, тебя отпустят.

— А моя девушка?! — выкрикнул Пауло.

Он не заслужил такого. Каким бы скверным сыном он ни был, как бы ни мучились с ним родители, но все же такого он не заслуживал. Он был ни в чем не виноват, но окажись у него сейчас в руке пистолет, перестрелял бы всех. Нет ничего ужасней наказания без вины.

— Да не бойся. Мы же не звери какие-то... Мы хотим всего лишь уничтожить тех, кто хочет погубить нашу страну.

«Добрый» вышел, хлопнула дверь, Пауло стянул с головы мешок и огляделся. Он сидел в звуконепроницаемой камере — вон тот порог, о который он споткнулся при входе. Справа было большое окно с матовым стеклом — через него, наверно, наблюдали за арестованным. В стене виднелись два-три отверстия, из одного торчало что-то, похожее на волос. Но следовало делать вид, будто его это нимало не трогает. Пауло оглядел свое окровавленное, исцарапанное тело, ощупал себя, убедившись, что руки и ноги целы: здешние люди умели бить и мучить, не оставляя следов, и, быть может, потому их напугала его реакция.

Он подумал, что они скорей всего свяжутся с Рио-де-Жанейро, узнают в клинике о его госпитализациях и электрошоковой терапии, потом проверят каждый его шаг — и его собственный, и девушки, чье иностранное гражданство может оказаться и спасением, и приговором, потому что она приехала из коммунистической страны.

Если они решат, что он солгал, его будут пытать беспрерывно на протяжении многих дней. Если поймут, что говорил правду, может быть, придут к выводу, что перед ними — мальчик из богатой семьи, хиппи, балующийся наркотиками, и отпустят его.

Он не сказал им ни слова неправды и теперь мог только надеяться, что они убедятся в этом как можно скорее.

Пауло не знал, сколько времени провел в этой комнате, где не было окон, а свет горел постоянно, и куда к нему лишь раз вошел фотограф из этого пыточного центра. Что это было — участок? Казарма? Фотограф велел ему снять с головы мешок, приблизил камеру вплотную к лицу — так, чтобы не было видно, что арестант гол — потом попросил повернуться в профиль, сделал снимки и удалился, не сказав больше ни слова.

И даже стуки в дверь никак не укладывались в схему, которая позволила бы установить распорядок — иногда обед приносили чуть ли не сразу после завтрака, а ужина приходилось ждать долго. Когда Пауло нужно было в уборную, он стучал в дверь, предварительно натянув на голову мешок: вероятно, охранники через матовое с одной стороны стекло видели это. Иногда он пытался поговорить с тем, кто выводил его, но ответом было только глухое молчание.

Он почти все время спал. Однажды днем (или ночью?) он решил применить свой навык медитации, чтобы сосредоточиться на чем-то возвышенном, и вспомнил, что Сан-Хуан де ла Крус говорил о потемках души, и что монахи-отшельники годами оставались в пещерах в пустыне или в Гималаях, и он может, последовав их примеру, использовать случившееся для самосовершенствования. Пауло подозревал, что на них с возлюбленной донес портье гостиницы, где они были единственными постояльцами, и часто мечтал, как освободится, придет и убьет его, а потом начинал думать, что наилучший способ служить Богу — простить предателя, ибо тот не ведал, что творил.

Но искусство прощения — трудное искусство: во всех своих странствиях он искал контакт со Вселенной, но это не значило — по крайней мере, в тот период жизни — что он соглашался терпеть тех, кто смеялся над его длинными волосами, спрашивал на улице, как давно он не мылся, уверял, что его разноцветная одежда свидетельствует, что он не уверен в своей ориентации, интересовался, много ли мужчин побывало в его постели, советовал бросить бродяжничество и наркотики, найти достойную работу, помочь стране выйти из кризиса.

Ненависть к несправедливости, жажда мести и невозможность прощения не позволяли ему сосредоточиться, и кровожадные мечты, — абсолютно, по его мнению, оправданные — прерывали медитацию. Известила ли полиция его семью?

Родители не знают, когда он намерен вернуться, а потому не удивляются столь долгому отсутствию. Родители во всем винили его возлюбленную, эту скучающую светскую бездельницу, старше его на одиннадцать лет, использующую его для удовлетворения таких желаний, в каких даже на исповеди не признаются, эту иностранку, чужачку, пожирательницу юнцов, которым еще не спутница жизни нужна, а приемная мать. Точно так же рассуждали все его друзья, все его враги, все, кто двигается вперед и никому не создает проблем, кто не заставляет свою семью ни пускаться в объяснения, ни стыдиться, что не сумел дать детям правильное воспитание. Сестра Пауло училась на инженерно-химическом факультете и считалась там одной из самых блестящих студенток, однако ее успехи не вызывали гордости у родителей — их гораздо больше заботило, как бы вернуть в мир нормальных людей сына.

И наконец, по прошествии какого-то срока, измерить который не представлялось возможным, Пауло начал думать, что заслуживает все, что с ним стряслось. Подобно кое-кому из друзей, которые вступили в вооруженную борьбу с режимом, отчетливо сознавая, чем это может кончиться, он расплачивался за все, что совершил в жизни — в этом ему виделось небесное воздаяние, а не земная кара. Он причинил людям столько горя, что вполне заслуживает того, чтобы валяться нагишом в камере, где на стене имеются три (он подсчитал) пулевых отверстия, чтобы искать в себе и не находить ни сил, ни духовного утешения и не слышать тот голос, который обратился бы к нему, как это было в Воротах Солнца.

Хиппи

И ему оставалось только одно — спать. С неизменной мыслью — вот он проснется, и этот кошмар прекратится. Но нет — он открывал глаза там же, на полу той же камеры. И каждый раз снилось, что самое скверное уже позади, но он снова и снова просыпался от стука в дверь весь в поту, в ужасе от того, что если его показания не подтвердились, его начнут пытать снова — и с новой силой.

Раздался стук в дверь. Пауло только что окончил ужин, но знал, что с тюремщиков станется принести ему завтрак, чтобы еще больше запутать и сбить с толку. Он натянул мешок на голову, услышал, как открывается дверь и как что-то швырнули на пол:

— Одевайся. И смотри не сдвинь мешок.

Этот голос принадлежал «доброму полицейскому» или, как он предпочитал мысленно называть его — «доброму палачу». Тот дождался, когда Пауло натянет на себя одежду и обуется, потом взял его за руку и сказал, чтобы не споткнулся о порог (арестант и без того вспоминал об этом всякий раз, как его выводили на оправку, но, вероятно, полицейский захотел проявить участие), а потом напомнил, что все шрамы у него на теле — от ран, которые он нанес себе сам.

Прошло минуты три, и тут другой голос произнес:

— Вариант ждет во дворе.

Вариант? Лишь позднее Пауло понял, что речь идет о марке автомобиля[1], а в тот миг ему показалось, что это условная фраза, значащая что-то вроде: «Расстрельная команда готова».

Его подвели к машине и, не снимая с головы мешок, сунули лист бумаги и ручку. Ему и в голову не пришло читать то, что было там напечатано, он подписал бы все, что угодно, пусть даже признание, лишь бы избавиться от этого сводящего с ума одиночного заключения. Однако «добрый» объяснил, что это — опись его вещей, обнаруженных в отеле. Рюкзаки лежат в багажнике.

Он сказал — «Рюкзаки!». Во множественном числе! Но Пауло был так оглушен всем происходящим, что не обратил на это внимания.

Он сделал то, что ему велели. Открылась дверца с другой стороны. Сквозь продранную ткань он заметил знакомую одежду. В машине сидела она, его девушка! От нее потребовали то же самое — подписать бумагу, но она отказалась, сказала, что сначала должна ознакомиться с ней. Сам

---

[1] Речь идет о «Фольксвагене 1500 Variant» — выпускать его начали в 1964 году, а в 1969-м он появился в Бразилии. (*Прим. ред.*)

звук ее голоса показывал, что она ни на миг не впадала в панику, полностью владеет собой, — и ей без возражений разрешили прочесть. Только после этого она наконец поставила свою подпись и сразу же ее рука коснулась руки Пауло.

— Физический контакт запрещен, — сказал «добрый палач».

Она пропустила эти слова мимо ушей, и Пауло на мгновение показалось, что их обоих сейчас же вернут в камеры и накажут за неповиновение. Попытался было высвободиться, но девушка крепче вцепилась в его руку и не отпускала.

«Добрый» просто захлопнул дверцу и велел — поезжайте. Пауло спросил, все ли в порядке с ней, и в ответ на него обрушилась целая обвинительная речь. С переднего сиденья донесся чей-то смех, и Пауло попросил, чтоб она заткнулась, пожалуйста, ПОЖАЛУЙСТА, мы поговорим потом, завтра или когда-нибудь в другой раз, там, куда нас отвезут: может быть, в настоящую тюрьму.

— Если не собираются отпускать на свободу, то не дают подписать бумагу, что все вещи возвращены в целости и сохранности, — ответила она.

Водитель снова рассмеялся, и кто-то подхватил его смех — оказалось, что впереди сидит еще один человек.

— Всегда считал, что женщины и храбрее, и умнее мужчин, — сказал кто-то из двоих. — И арестованные неизменно подтверждают это наблюдение.

На этот раз заткнуться велел водитель. Автомобиль еще довольно долго кружил по городу, потом затормозил, и сидевший впереди сказал, что они могут снять мешки. Этот человек с монголоидным лицом был одним из тех, кто арестовывал их в отеле — сейчас он улыбался. Вышел из машины одновременно с пассажирами, открыл багажник, достал рюкзаки и не швырнул их наземь, а подал Пауло и его спутнице.

— Можете идти. На следующем перекрестке свернете налево и минут через двадцать будет автостанция.

Вернулся в машину, и водитель неторопливо тронул с места — так, словно обоим было наплевать на все, что произошло: такова новая действительность их страны, эти люди теперь у власти, и никто никогда не осмелится на них жаловаться.

Пауло поглядел на свою подругу, а та — на него. Потом они обнялись и длительно поцеловались, после чего направились к автостанции. Он считал, что оставаться в этом городе опасно. А она, казалось, совсем не изменилась за эти дни — недели? месяцы? годы? — которые всего лишь ненадолго прервали их странствие в край мечты, а пережитые неприятности никак не могли возобладать над светлыми и отрадными впечатлениями. Пауло прибавил шагу, сдерживаясь, чтобы не сказать ей, что виновата во всем она, что они не должны были ехать смотреть изваянные ветром скульптуры, и что если бы они не завернули туда, ничего бы не произошло. Меж тем вина лежала не на ней, и не на Пауло, и ни на ком другом.

Каким нелепым и немощным стал он. И внезапно разболелась голова — так мучительно и сильно, что он не мог больше сделать ни шагу — ни бежать домой, в родной город, ни вернуться к Воротам Солнца и спросить у древних и забытых обитателей этого места, что же все-таки произошло. Он прислонился к стене и просто позволил рюкзаку свалиться на землю.

— Знаешь, что с тобой? — спросила подруга и сама же ответила: — Я прошла через это, когда бомбили мою страну. Все это время твоя мозговая активность была снижена, кровь не так, как обычно, двигалась по сосудам. Это пройдет часа через два-три, но на станции мы купим аспирину.

Пауло подхватил свой рюкзак, приладил его и зашагал дальше — сначала с трудом, но потом все быстрее и быстрее.

Какая женщина... Жаль только, что когда он предложил ей вместе отправиться в два центра мира — Пикадилли и Дам — она ответила, что устала от странствий да и потом, честно говоря, разлюбила его. И лучше будет, если теперь каждый пойдет своей дорогой.

Поезд остановился, и в окне возникла грозная вывеска на нескольких языках: ТАМОЖНЯ.

Наряд пограничников вошел в вагон и начал обход. Пауло немного успокоился, он изгнал своих демонов, но один стих из Библии, точнее — из Книги Иова, гвоздем засел у него в голове: «чего я боялся, то и пришло ко мне».

Надо взять себя в руки — когда человек боится, это чувствуется даже на расстоянии.

Все будет хорошо. Если аргентинец не соврал, и самое скверное, что может произойти — это не впустят в страну, то и бояться нечего. Не выйдет здесь — можно попробовать пересечь другую границу. А не получится и это — остается еще один центр мира под названием Пикадилли.

Теперь, заставив себя заново пережить весь ужас случившегося полтора года назад, он испытывал глубочайшее спокойствие. Словно ему необходимо было взглянуть на свое прошлое без страха, принять его как данность, памятуя: пусть нам не дано выбирать то, что с нами случится, но реагировать на случившееся так или эдак — вполне в нашей власти.

И он сознавал, что если до этой минуты злокачественная опухоль несправедливости, отчаяния и бессилия уже начала давать метастазы в его астральном теле, то теперь оно очистилось от недуга.

Он мог все начать заново.

Пограничники вошли в купе, где сидели Пауло и аргентинец с еще четырьмя совершенно незнакомыми им пассажирами. Как он и ожидал, их двоих попросили сойти. На перроне было довольно холодно, хотя ночь еще не наступила.

Однако у природы есть циклы, которые повторяются и в душе человеческой: растение рождает цветок, чтобы прилетевшие пчелы могли создать плод. А он создает семена, которые снова превращаются в растения, а те в свой черед заставляют цветы распускаться, приманивая пчел, а те оплодотворяют цветок и дают ему возможность плодоносить — и так без конца, вернее — до конца времен. Добро пожаловать, осень, пора, когда можно отринуть старое вместе с ужасами прошлого и дать возникнуть новому.

В помещение таможни шли еще человек десять — юноши и девушки. Шли молча, и Пауло постарался оказаться как можно дальше от аргентинца, который заметил это и не стал ни приставать с разговорами, ни навязывать свое общество.

Вероятно, в этот миг он понял или догадался, что у Пауло возникли какие-то подозрения, он видел, как лицо попутчика омрачилось, будто его накрыла какая-то тень, а потом не то что бы просияло — это, наверно, было бы преувеличением — но по крайней мере с него исчезло выражение глубокой печали.

Людей вызывали по одному и никто не знал, о чем их спрашивают, потому что выходили они через другие двери. Пауло оказался третьим.

Сидевший за столом человек в мундире попросил его паспорт и принялся листать толстую папку со списками подозрительных лиц.

— Я всегда мечтал побывать... — начал было Пауло, но его жестом попросили не мешать пограничнику работать.

Сердце у Пауло забилось чаще: он боролся с самим собой, стараясь поверить, что и в самом деле пришла осень, что с деревьев стали опадать мертвые листья, и что оттуда, где до сих пор были только обрывки чувств, появится новый человек.

Нехорошее, пагубное волнение шло вглубь и вширь, и Пауло собрал все душевные силы, чтобы успокоиться: это почти удалось ему, особенно когда он заметил в ухе у пограничника сережку — такое совершенно невозможно было представить себе ни в одной стране из тех, где он побывал. Чтобы отвлечься, стал разглядывать кабинет, заваленный папками с делами, портрет королевы на стене и плакат с изображением ветряной мельницы. Чиновник в этот миг отложил списки и, даже не спросив, что приезжий собирается делать в Голландии, осведомился, есть ли у того деньги на обратный билет.

Пауло заверил, что есть — он уже давно понял, что это — главнейшее условие для пребывания в любой стране, и купил дорогущий билет до Рима и обратно с открытой датой, так что вернуться можно было хоть через год. И потянулся было в подтверждение своих слов достать билет из поясной сумки, но пограничник сказал, что это необязательно, и спросил, сколько у него с собой денег.

— Около тысячи шестисот долларов. Может, немного больше, но я не знаю, сколько истратил в поезде.

Когда он прилетел в Европу, у него было 1700 долларов, заработанных преподаванием на подготовительных курсах в той же Театральной Школе, в которой учился сам. Самый дешевый билет был до Рима, где хиппи обычно собираются на площади Испании, как он узнал благодаря «Невидимой почте». Он нашел себе место для ночевки в парке, питался сэндвичами и мороженым и вполне мог бы застрять в Риме надолго, благо познакомился и быстро сдружился с галисийской девушкой, очень скоро ставшей его возлюбленной. Наконец, он купил супербестселлер, которым зачитывалось его поколение — «Европа за пять долларов в день» — не сомневаясь, что эта книга перевернет его жизнь. За время, проведенное на площади Испании, он успел заметить, что книгу эту читают не только хиппи, но и респектабельные законопослушные обыватели — так называемые «квадратные» — искавшие в ней, помимо достопримечательностей каждого города, список самых дешевых ресторанов и отелей.

Не пропаду и в Амстердаме, думал тогда Пауло, вознамерившись двигаться к своей первой цели (вторая, как он неустанно повторял, была площадь Пикадилли). Но как раз в это время галисийка сказала, что собирается в Афины.

Он снова собирался предъявить свои деньги, но тут пограничник проштемпелевал и вернул ему паспорт. Еще спросил, везет ли он какие-либо фрукты или овощи. У Пауло было с собой два яблока, и пограничник велел перед выходом с вокзала выбросить их в урну.

— А как же мне теперь добраться до Амстердама?

Сесть в пригородный поезд, ответили ему, он здесь останавливается каждые полчаса, благо купленный в Риме билет действителен до конечного пункта поездки.

Пограничник показал, в какие двери выходить, и Пауло оказался на свежем воздухе и в ожидании электрички: он был и удивлен, и обрадован тем, что ему поверили на слово насчет билета и денег.

Похоже, он и в самом деле попал в другой мир.

Карла не осталась до вечера на Даме, главным образом потому, что начался дождь, да и гадалка твердо обещала, что на следующий день явится человек, которого девушка ждет. И она, хоть и не любила научную фантастику, решила сходить в кино на «2001: Космическая одиссея», потому что слышала от многих, что это настоящий шедевр.

Фильм, в самом деле оказавшийся великолепным, не только помог ей убить время, но и подтвердил то, что она знала — впрочем, дело было не в знании, а в абсолютной неоспоримой истине: время идет по кругу и неизменно возвращается в ту же точку. Мы рождаемся из семени, растем, стареем, умираем, ложимся в землю и в ней снова становимся семечком, которое рано или поздно воплотится в другого человека. Карла, хоть и появилась на свет в лютеранской семье, пере-

.жила увлечение католицизмом и на мессе любила повторять из «Апостольского Символа веры»: «Чаю воскресения мертвых и жизни будущего века. Аминь».

Воскресение мертвых. Она как-то раз попыталась поговорить об этом с падре, спросила его о реинкарнации, но тот сказал, что речь здесь идет о другом. О чем же? — спросила она. Ответ — совершенно идиотский — гласил, что она просто еще не доросла до понимания. С той минуты она стала постепенно отдаляться от католицизма, сообразив, что и падре не понимает, что значат эти слова.

«Аминь», повторяла она по пути в отель. Она была готова воспринять все, что Бог захочет сказать ей. Отойдя от христианства, Карла искала хоть какой-то ответ на вечный вопрос о смысле жизни и в индуизме, и в буддизме, и в даосизме, и в языческих африканских культах. Один поэт много веков назад сказал: «Твой свет озаряет Вселенную // Любви светильник жжет и Постижение спасает».

Поскольку ничего сложнее любви не было в ее жизни (любовь была сложна до такой степени, что лучше о ней было не думать вовсе), Карла пришла к выводу, что Постижение заключено внутри ее самой, о чем, в сущности, и говорили основатели всех этих религий. И теперь все, что попадалось ей на глаза, напоминало о Божестве, и она старалась, чтобы каждый жест ее, каждый шаг были формой благодарности за то, что она жива.

И этого достаточно. Хуже убийцы тот, кто убивает в нас радость бытия.

Карла зашла в *кофе-шоп* — заведение, где продавали разные виды марихуаны и гашиша — но заказала там лишь чашку кофе. И разговорилась с посетительницей по имени Вильма, тоже ограничившейся кофе. Она тоже была голландкой и выглядела немного растерянной. Девушки решили отправиться в «Парадизо[1]», но решение свое тотчас переменили — ничего нового их там не ожидало, клуб давно утерял для них прелесть новизны, как и продававшиеся там наркотики. Это хорошо для туристов, но скучно тем, кому подобное лакомство доступно в любую минуту.

Однажды — в каком-нибудь отдаленном будущем — правительства уразумеют, что наилуч-

---

[1] Расположенный в здании бывшей церкви XIX века развлекательный молодежный цетр, а позже клуб «Парадизо» открылся в 1968 году. Пользовался огромным успехом у молодежи со всего мира, поскольку там проходили концерты рок-музыки и была разрешена продажа легких наркотиков. (*Прим. ред.*)

ший способ покончить с так называемой «проблемой» — снять запреты. Гашиш во многом так притягателен именно потому, что запрещен и как всякий запретный плод — сладок.

— Но это же никому не надо, — сказала Вильма, когда Карла поделилась с ней своими мыслями. — Они зарабатывают миллиарды на репрессиях. Считают себя существами высшего порядка. Спасителями общества и семьи. Борьба с наркотиками — превосходная политическая платформа. Чем они ее заменят? Ну да, разумеется, можно, конечно, начать борьбу с бедностью, вот только кто в это поверит?

Они прервали разговор и уставились в свои чашки. Карла думала о только что увиденном фильме, о «Властелине колец» и о своей жизни. В ней не происходило ничего примечательного или интересного. Родилась в семье с пуританскими нравами, училась в лютеранском колледже, потеряла невинность еще в отрочестве с одним голландским пареньком, для которого это тоже был первый сексуальный опыт. Какое-то время странствовала по Европе, в 20 лет устроилась на работу (сейчас ей было 23), и потянулись долгие однообразно повторяющиеся дни. Потом, просто чтобы позлить семью, перешла в католичество, решила уйти из дома и жить одна, пережила череду романов, герои которых появлялись в ее жизни и в ее постели то на два дня, то на два месяца, сочла, что виной всему — Роттердам с его кранами, пепельно-серыми улицами, с его портом, приносившим истории не в пример интереснее тех, которые она привыкла слышать от друзей.

Она легче ладила с иностранцами. И один-единственный раз готова была потерять свою абсолютную и ставшую такой привычной свободу, когда без памяти влюбилась в одного француза, бывшего на десять лет старше, и убедила себя, что сумеет сделать так, чтобы эта всепоглощающая страсть захлестнула и его тоже, хотя прекрасно знала, что ему не нужно ничего, кроме секса — области, где она чувствовала себя как рыба в воде и достигала все большего совершенства. Но через неделю бросила француза в Париже, придя к выводу, что еще не в полной мере сумела раскрыть роль любви в своей жизни — и, вероятно, это была какая-то болезнь, потому что все ее знакомые рано или поздно заговаривали о том, как важно выйти замуж, завести детей, стряпать, смотреть рядом с кем-то телевизор, ходить в театр, путешествовать, приносить, возвращаясь с работы, гостинчики, и снова беременеть, растить детей, притворяться, что не замечаешь маленьких измен мужа или жены, твердить, что дети — единственный смысл жизни, думать о том, что приготовить им на ужин, кем они станут в будущем, каково им придется в школе, на службе, в жизни.

И растягивать, растягивать ощущение своей полезности еще на несколько лет, до тех пор, пока все не разъедутся, и не опустеет дом, и по-настоящему важными будут только воскресные обеды всей семьей, и все будут притворяться, что все у них хорошо, что нет ни ревности, ни соперничества, ни свистящих в воздухе невидимых стрел: «я зарабатываю больше... моя жена получила диплом архитектора... мы только что купили дом, какой вам и не снился...» и прочее в том же роде.

Еще за два года до этого она вдруг поняла, что в абсолютной свободе нет никакого смысла. И стала задумываться то о смерти, то об уходе в монастырь — даже съездила к босоногим кармелиткам, жившим в полном отрыве от окружающего мира. Она сказала, что была крещена, что открыла для себя Христа и хочет быть его невестой до последнего своего часа. Настоятельница попросила ее подумать еще месяц, а уж потом окончательно принять решение — и за этот месяц она живо представила себе, как сидит в келье и молится с утра до ночи, повторяя одни и те же слова, пока они окончательно не лишатся смысла, а представив — поняла, что ей не по силам такая жизнь, которая очень скоро сведет ее с ума. Мать-настоятельница оказалась права: Карла не вернулась в обитель, рассудив, что как ни мучительна рутина абсолютной свободы, в ней все же всегда можно найти что-нибудь интересное.

Моряк из Бомбея помимо того, что оказался великолепным любовником — что встречается нечасто — открыл ей восточный мистицизм, и именно в это время она стала все чаще думать, что окончательная цель ее существования — уехать куда-нибудь в дальнюю даль, жить в пещере на Гималаях, верить, что рано или поздно боги снизойдут для беседы с ней, и отрешиться от всего, что сейчас окружает и кажется таким пошлым, таким невыносимо пошлым.

Не вдаваясь в подробности, она спросила Вильму, как ей понравился Амстердам.

— Пошлый. Невыносимо пошлый.

Вот именно. И не только Амстердам, а и вся Голландия, где люди с рождения защищены государством, где никто не боится бесприютной старости, потому что существуют богадельни и пожизненные пенсии, и медицинская помощь — бесплатная или за ничтожную плату, и короли — на самом деле королевы: королева-мать Вильгельмина, правящая королева Юлиана и наследница престола Беатрис. В то время как в Америке женщины сжигают лифчики и требуют равных прав с мужчинами, Карла, которая вообще лифчик не носила, хоть и была довольно полногруда, жила в стране, где это равноправие завоевали уже давно — без шума, без эксгибиционизма, следуя вековой логике, согласно которой власть принадлежит женщинам — именно они управляют своими мужьями и сыновьями, президентами и королями, а те в свою очередь изо всех сил стараются казаться полководцами, главами государства, президентами корпораций.

Мужчины... Они уверены, что вращают землю, а сами шагу ступить не могут, не спросив у подруги, любовницы, жены, матери, как следует поступить в каждом случае.

Карла хотела все бросить, отыскать какую-нибудь богом забытую страну, переселиться туда и навек вырваться из этой тягомотной трясины, что, казалось, ежедневно высасывала из нее силы.

Она всей душой надеялась, что гадальщица сказала правду. Если же обещанный ею попутчик завтра не явится, Карла все равно уедет в Непал — уедет одна, рискуя, что ее превратят в «белую рабыню» и продадут в гарем какого-нибудь тучного султана, правящего там, где гаремы пока еще не вывелись. Впрочем, Карла сомневалась, что у кого-то хватит отваги поступить так с подданной Нидерландов, умеющей защищаться лучше, чем мужчина с угрозой во взоре и с отточенным клинком в руках.

Она простилась с Вильмой, условившись встретиться завтра в «Парадизо», и отправилась в пансион, где так однообразно проходили ее дни в Амстердаме, городе мечты стольких людей, устремлявшихся сюда со всех концов света. Она шла по узким улочкам, навострив уши, чтобы не пропустить *знак:* она не знала, какой он будет, но помнила, что все знаки именно таковы — непредсказуемы и замаскированы под обыденность. Мелкий дождь, ударив в лицо, вернул ее к действительности — но не к той, что была вокруг, а к ощущению того, что она — жива и идет по безопасному городу, по темным его закоулкам, пересекая тропы наркоторговцев из Суринама, в полумраке предлагающих свой товар, а вот он-то как раз и представляет нешуточную опасность для покупателей, ибо, верно, сам дьявол измыслил героин и кокаин.

Она прошла через площадь — казалось, что здесь, в противоположность Роттердаму, площади на каждом перекрестке. Дождь припустил сильнее, и она поблагодарила судьбу, что после всего передуманного в кофе-шопе еще способна улыбаться.

Карла шла и молилась про себя, беззвучно произнося слова, которых не было в канонических молитвах католиков или лютеран — она благодарила жизнь, хотя еще недавно жаловалась на нее, она возносила хвалу небесам и земле, растениям и животным, ибо довольно было лишь взглянуть на это, как все противоречия, теснящиеся в душе, разрешались сами собой, и глубокий покой осенял ее и окутывал: и это были не та сонная одурь или истома, лишенная вызовов, но подготовка к некоему приключению, на которое она решилась (независимо от того, найдется у нее спутник или нет), и уверенность, что ангелы сопровождают ее и их неслышная музыка гонит прочь нечистые мысли и заставляет трепетать и вступать в контакт с собственной душой, говорить ей «Я люблю тебя», хотя настоящей Любви Карла еще не знала.

Я не чувствую за собой вины за свои прежние мысли — быть может, тому виной фильм, быть может, книга — но даже если дело только во мне самой и в моей неспособности видеть красоту, живущую внутри меня, я прошу, чтобы ты простила меня: я люблю тебя и благодарю, что ты сопровождаешь меня, благословляешь меня своим присутствием и избавляешь от искушения наслаждениями и от страха перед болью.

Для разнообразия она принялась винить себя за то, что она — такая как есть, что живет в стране, где больше всего музеев в мире, и сейчас проходит по одному из 1281 мостов этого города, глядя на дома в три окошка по горизонтали — больше считается хвастовством и желанием унизить соседа — и гордясь законами, которые правят ее народом, и славными мореплавателями, которыми так богата его история, пусть даже в мире знают только испанских и португальских первооткрывателей.

И голландские моряки совершили лишь одну неудачную сделку — продали[1] остров Манхеттен американцам. Но, как известно, никто не застрахован от ошибки.

Ночной портье открыл ей дверь хостела, и она проскользнула внутрь, стараясь не шуметь, легла, закрыла глаза и, прежде чем уснуть, подумала о том, что в ее стране нет только одного.

Гор.

И она отправится в горы — подальше от этих огромных низменностей, отвоеванных у моря теми, кто знал, чего хочет, и сумел покорить природу, не желавшую подчиняться.

---

[1] На самом деле, не продали, а купили у индейцев в 1626 году за 60 гульденов, но вскоре вынуждены были уступить его англичанам. Впрочем, в сделке участвовали. (*Прим. ред.*)

Она решила проснуться раньше, чем всегда, и в одиннадцать утра уже была одета и готова к выходу, хотя обычно поспевала со сборами только к часу. Сегодня, по словам гадальщицы, ей предстояла встреча с тем, кого она ждала, а гадальщица не может ошибаться, потому что обе они вошли в мистический транс, перестав вопреки обыкновению контролировать себя, как это обычно и бывает в состоянии транса. Лайла произносила какие-то слова, которые шли будто не изо рта, а из «большой души», занимавшей все пространство ее студии.

На Даме народу было еще не много — обычно движение начиналось после полудня. Но она заметила — наконец-то! — новое лицо. Длинные, как у всех здешних, волосы, куртка, небогато украшенная нашивками (самым заметным был флажок с надписью «Бразилия» сверху), через плечо — ярко расписанная холщовая сумка, изготовленная в Латинской Америке, — такие были в большой моде среди странствующих по свету юнцов, равно как и пончо, и шапки, закрывающие уши. Он курил — причем обычную сигарету: пройдя мимо, она не ощутила ничего, кроме запаха табачного дыма.

Он очень увлеченно занимался ничегонеделаньем, разглядывая здание на другом конце площади и народ вокруг себя. Наверно, хотел бы завести с кем-нибудь разговор, но по глазам было видно — стесняется, правильней сказать — слишком сильно стесняется.

Она расположилась на почтительном расстоянии — так, чтобы держать его в поле зрения и не допустить, чтобы он исчез, прежде чем она предложит ему путешествие в Непал. Если он уже побывал в Бразилии и других, судя по сумке, странах Южной Америки, отчего бы ему не захотеть забраться подальше. Он приблизительно ее возраста, неопытен и уговорить его будет, наверно, нетрудно. И неважно — длинный он или коротышка, толстый или худощавый, красивый или страшненький. Ее интересовало только одно — заполучить спутника для своего личного приключения.

Пауло тоже приметил хорошенькую девушку-хиппи, прохаживавшуюся поблизости, и, не будь он так робок, наверно, улыбнулся бы ей. Но не хватило смелости — она держалась отчужденно, может быть, кого-то ждала, а может быть, просто хотела посмотреть на пасмурный день — без солнца, но и без дождя.

С этими мыслями он вновь принялся рассматривать стоявшее перед ним здание — истинное чудо архитектуры, о котором книга «Европа за пять долларов в день» сообщала, что это королевский дворец, выстроенный на 13 659 сваях (если верить книге, вообще весь город стоял на сваях, только этого никто не замечал). У ворот не было караула, и неимоверные полчища туристов свободно входили и выходили: он сам бы ни за что не пошел туда.

Мы всегда чувствуем, когда на нас смотрят. Вот и Пауло знал, что красотка-хиппи, оказавшись вне поля его зрения, не сводит с него глаз. Он повернул голову и увидел ее: она в самом деле сидела чуть поодаль, но как только их взгляды встретились, она немедленно погрузилась в чтение.

Как поступить? Чуть ли не полчаса он размышлял, стоит ли подняться, подойти, сесть рядом — как это принято в Амстердаме, где люди общаются без объяснений и извинений, просто потому, что захотелось поболтать и обменяться впечатлениями. И когда эти полчаса истекли, Пауло, в сотый раз твердя про себя, что ему нечего терять, что если его отвергнут, то — не в первый и не в последний раз, — поднялся и направился к ней. Она не отрывала глаз от книги.

Карла видела, что он приближается: такое нечасто бывает здешних местах, где уважается чужое личное пространство. Парень уселся рядом и произнес самое нелепое из всего, что только можно было произнести в этой ситуации:

— Простите.

Она повернула к нему голову, ожидая окончания фразы, но его не последовало. Прошло пять минут неловкого молчания, прежде чем она все же решила взять инициативу на себя:

— За что простить?

— Ни за что.

И как же она обрадовалась, когда он не стал молоть ерунду вроде «Надеюсь, не помешал?», или «Не знаете, что это за здание такое?», или «Какая вы красивая» (иностранцы предпочитают именно эту фразу), или «А где вы купили эту юбку?», или еще что-нибудь в том же роде.

Она решила ему помочь, тем более что он интересовал ее куда больше, чем мог представить.

— Зачем у тебя нашивка «Бразилия» на рукаве? — спросила она, перейдя на «ты».

— На тот случай, если встречу ребят из Бразилии: я и сам оттуда. Я ведь никого здесь не знаю, а так мне смогут показать что-нибудь интересное.

Неужели этот паренек с черными глазами, усталыми, но блестевшими умом и огромной энергией, пересек Атлантику, чтобы повстречать здесь, за границей, своих соотечественников?

Ей показалось, что это — верх нелепости, но все же она решила дать ему шанс. Она могла немедленно заговорить о Непале и посмотреть, как пойдет беседа, могла мгновенно свернуть разговор, могла пересесть, могла сказать, что у нее здесь назначена встреча или попросту встать и уйти, не давая никаких объяснений.

Однако она решила не трогаться с места и то, что, перебирая возможные варианты, она осталась сидеть рядом с парнем — оказалось, что его звали Пауло — в конце концов полностью изменило ее жизнь.

Ибо в любви происходит именно так, пусть даже последнее, о чем ты думаешь в такие моменты — это любовь и все те опасности, что она несет с собой. Двое были теперь одним, гадальщица была права, мир внешний и мир внутренний стали стремительно сближаться. Пауло, вероятно, чувствовал то же, что и она, но был, может быть, слишком робок, или — что тоже не исключено — думал лишь о том, с кем бы на пару выкурить сигарету с гашишем, или — что было еще хуже — видел в ней лишь ту, с кем можно будет наскоро переспать, а потом разбежаться как ни в чем не бывало — ни в чем и ничего, не считая оргазма.

Как определить за несколько минут, что представляет собой человек или чего он собой *не* представляет? Ну, разумеется, бывает, что человек сразу вызывает у нас неприязнь, и мы отходим в сторонку — но здесь было что-то совсем иное. Этот худощавый паренек следил за собой: волосы у него были очень ухоженные. Он, наверно, утром принял ванну или душ — от него еще исходил чуть уловимый аромат хорошего мыла.

В тот самый миг, как он присел рядом со своим дурацким «простите», Карла испытала блаженное чувство — теперь она не одна. Она — с ним, а он — с ней, и оба уже знают об этом, пусть даже пока не сказано ни слова, и оба не знают, что же произошло. Потаенные чувства не обнаружились, но перестали скрываться и ожидали только случая раскрыться. Настала минута, когда отношения, способные перерасти в сильную любовь, погибают — либо потому, что души, повстречав друг на друга на земле, уже знают, куда пойдут вместе и боятся этого, либо, движимые предрассудками, мы не даем душам времени узнать друга друга, пускаемся на поиски чего-то «лучшего» и теряем шанс, который выпадает только раз в жизни.

Карла дала своей душе высказаться. Порой мы обманываемся их словами, потому что души не отличаются особой верностью и, в конце концов смиряясь с ситуациями, которые ничему не соответствуют, пытаются порадовать рассудок и пренебрегают тем, во что Карла погружалась все глубже — Постижение. Твое видимое Я, которое ты считаешь собой, — это всего лишь крошечный кусочек, не имеющий отношения к Эго истинному. И потому людям так трудно внять тому, что говорит им душа — они пытаются управлять ею, заставляют двигаться по уже прочерченному пути желаний, надежд, будущего, искушения сказать друзьям «Наконец-то я встретил истинную любовь, любовь всей моей жизни», страха перед одинокой смертью в доме престарелых.

Карла больше не могла себя обманывать. Она сама не понимала, что чувствует сейчас, но доискиваться не стала, оставила, как есть, не пытаясь ничего оправдать или объяснить. Отдавала себе отчет в том, что должна наконец поднять завесу, покрывающую ее сердце, но не знала, как это сделать — не знала и не могла узнать в оставшиеся и стремительно истекавшие мгновения. Лучше всего было бы отстраниться сейчас, отойти на безопасное расстояние и подождать, посмотреть, как будут вести себя они оба, спустя часы, дни или годы — нет-нет, о годах она не думала, потому что цель ее была — пещера в горах Катманду, где она в одиночестве войдет в контакт со Вселенной.

Хиппи

Душа Пауло еще ничего ему не подсказывала, и он не знал, не исчезнет ли эта девушка через минуту. Не знал он и о чем говорить, а девушка тоже хранила молчание, так что они оба немо смотрели перед собой, хотя на самом деле ничего не замечали — ни голландцев, направлявшихся в ресторанчики и кафе, ни переполненных трамваев — кроме собственных чувств, находившихся в другом измерении.

— Хочешь есть?

Расценив это как приглашение, Пауло и удивился, и обрадовался. И, хотя не мог понять, почему такая красивая девушка зовет его пообедать, подумал, что его первые часы в Амстердаме начинаются очень хорошо.

Он ничего подобного не замышлял и не планировал, а все, что происходит само собой — без планирования и ожидания — неизменно оказывается и приятней, и плодотворней. Вот и разговор с незнакомкой вышел довольно непринужденным, потому что не имел никакой романтической подоплеки.

Она —. одна? Долго ли она будет дарить его своим вниманием? Что надо сделать, чтобы удержать ее рядом?

Ничего не надо. Череда глупейших вопросов растворилась в пространстве, а он пошел бы с ней обедать, даже если бы недавно наелся до отвала. Он только уповал на то, что она выберет какой-нибудь не запредельно дорогой ресторан: имеющиеся деньги надо было растянуть на год, до указанной в билете даты вылета.

Путник, ты отвлечен, успокойся.
Помни — не каждый из тех, кто зван, избран.
И не всякий, кто спит с улыбкой на устах,
Увидит то, что видишь ты.

Разумеется, мы должны делиться друг с другом. Пусть кажется, что полученные нами сведения всем уже известны, важно не позволить эгоистичной мысли увести тебя в одиночку к концу пути. Иначе ты обнаружишь, что находишься в раю — в пустом, неинтересном раю, — и очень скоро начнешь томиться в нем от скуки.

Мы не можем взять с собой огни, озаряющие нам путь.

А если попытаемся, окажется, что мы набили наши заплечные мешки фонарями. И в этом случае — сколько бы света ни тащили мы с собой — нельзя рассчитывать на приятных попутчиков. И к чему тогда все это?

Но успокоиться было трудно — надо было заметить все, что представало его взору вокруг. Революция без оружия, дорога без опасных поворотов и контрольно-пропускных пунктов.

Хиппи

Мир, внезапно обретающий молодость — независимо от возраста людей в нем и от их верований и убеждений. Взошло солнце, словно говоря, что возвращается Возрождение, меняя нравы и обычаи мира сего — и в один прекрасный день, в очень недалеком будущем люди перестанут зависеть от чужого мнения и будут смотреть на жизнь только собственными глазами.

Люди в желтом танцевали и пели на улице, запруженной разноцветной толпой, девушка раздавала розы всем, кто шел мимо, и все расцветали улыбками: да, завтра будет лучше, чем сегодня, несмотря на творящееся в Латинской Америке или где-то там еще. Оно будет лучше просто потому, что выбора нет, нельзя вернуться в прошлое и допустить, чтобы морализирование, лицемерие и ложь день и ночь забивали головы людям, следующим этой стезей. Пауло вспомнил, как в поезде изгонял демонов и о тех тысячах критических замечаний, которые пришлось ему выслушать от всех — знакомых и незнакомых. И о том еще, как мучились с ним его родители, и ему захотелось сейчас же позвонить им и сказать:

Не беспокойтесь, я всем доволен, и вскоре вы наконец поймете, что я рожден не для того, чтобы поступить в университет, получить диплом и устроиться на службу. Я родился для того, что-

*бы обрести свободу, и смогу пережить это — мне
всегда будет чем заняться, я всегда открою способ
заработать денег, когда-нибудь найти себе жену
и обзавестись семьей. Но сейчас мне нужно другое — сейчас пришло время искать только в настоящем, здесь и сейчас, ту радость, свойственную
детям, о которых Иисус сказал, что им принадлежит царствие небесное. Если мне придется пахать
землю, я без колебаний возьмусь за это, потому что
работа эта позволит мне пребывать в единении
и связи с землей, с солнцем или дождем. Если мне
потребуется запереться в офисе, я сумею сделать
и это, ибо рядом со мной будут другие люди, и мы
в конце концов объединимся и вместе откроем для
себя, как славно сидеть вокруг стола и разговаривать, молиться, смеяться и каждый вечер после
монотонной работы смывать с себя трудовой пот.
Если я останусь один, я выживу в одиночестве, если
я полюблю и решу жениться — я женюсь, ибо уверен, что для моей жены, данной мне раз и навсегда,
моя радость станет наивысшим благословением,
какое только мужчина может дать женщине.*

Девушка, шагавшая рядом, остановилась, купила цветов и, вместо того чтобы нести их куда-нибудь, проворно смастерила два венка и надела на
голову себе и Пауло. И это вовсе не выглядело

смешно или нелепо — это был способ отпраздновать маленькие житейские победы, подобно тому, как греки тысячи лет назад увенчивали своих триумфаторов и героев не золотом, а лавром. Да, эти венки завянут и высохнут, но зато они ничего не весят и не требуют бдительного пригляда — в отличие от венцов королей и королев. Головы у многих прохожих тоже были украшены такими венками, и от этого все становилось еще милей.

Кругом играли на деревянных флейтах, на скрипках, на гитарах и цитрах, и музыкальное разноголосье отчего-то звучало гармонично и совершенно естественно на этой заполненной велосипедами улочке, где, как почти во всем городе, не было деления на пешеходную и проезжую часть, и оттого время на ней то летело, то еле двигалось. Пауло опасался, что быстрота возьмет верх, и этот сон наяву кончится.

Потому что он находился не на улице — а во сне, персонажи которого были, однако, из плоти и крови, говорили на самых разных языках, глядели на его спутницу и восхищенно улыбались ее красоте, а девушка улыбалась им в ответ, и он чувствовал ревность, тотчас сменявшуюся гордостью за то, что она именно его выбрала себе в спутники.

То и дело им предлагали ароматические палочки, браслеты, яркие куртки, сшитые, быть может, в Перу или Боливии, и ему хотелось скупить все это, потому что не в пример тому, как это обычно происходит в магазинах, продавцы улыбались, и не навязывали свой товар, и не обижались на отказ. И, быть может, покупка означала для них еще один день, еще одну ночь в раю, хотя все они, все без исключения, знали, как выживать в этом мире. Пауло же надо было экономить, он тоже должен был научиться жить в этом городе до тех пор, пока не напомнит о себе авиабилет в поясной сумке, говоря, что пришла пора выйти из этого сна и вернуться к действительности.

А действительность время от времени вторгалась в эти улицы и парки, когда он видел столики с фотографиями на щитах, запечатлевшими зверства американцев во Вьетнаме. Чаще всего — генерала, хладнокровно расстреливающего партизана. Просили всего лишь подписать протест, и никто из прохожих не отказывался от этого.

В этот миг он понял, что еще очень далеко до наступления нового Ренессанса, однако он уже грядет, да, он грядет, и эти парни и девушки не забудут своей жизни здесь и по возвращении домой тоже станут апостолами мира и любви. Потому что въяве увидели — возможен и такой мир, где нет места угнетению и ненависти, где мужья не избивают жен, где нет палачей, подвешивающих своих жертв вниз головой и медленно убивающих их...

...Нет, он не потерял своей жажды справедливости — ее попрание продолжало возмущать его — однако нуждался в том, чтобы отдохнуть и подзарядиться новой энергией. Часть своей юности он истратил, умирая от страха — теперь пришло время быть мужественным, не оробеть перед жизнью и перед неведомой дорогой, по которой он шел.

Они вошли в первую из десятков лавочек, где продавались цветастые шали, трубки, сумки и кошельки, какие-то статуэтки в ориентальном вкусе. Пауло купил то, что давно искал — несколько металлических заклепок в форме звезд, чтобы прикрепить к своей куртке по возвращению в хостел.

В городском парке три обнаженные по пояс девушки сидели в позе лотоса, закрыв глаза и обратившись лицом к солнцу, которое должно было вскоре скрыться за горизонтом, а до прихода новой весны оставалось еще целых два времени года. Пауло с особым вниманием рассматривал людей на площади — те, что постарше годами шли на работу или возвращались с нее, не обращая ни малейшего внимания на девичью наготу: здесь это не осуждалось и не каралось, ибо каждый сам хозяин своего тела и поступает с ним, как ему заблагорассудится.

А вокруг роились майки, майки с живыми посланиями надписей, а иногда и с портретами Джими Хендрикса, Джима Моррисона, Дженис Джоплин, но у большинства звучало Возрождение:

Сегодня — первый день остатка твоей жизни.

Немудрящая мечта мощнее тысячи реальностей.

Каждая мечта нуждается в мечтателе.

Одна надпись особенно привлекла его внимание:

Мечта является без предупреждения, а потому опасна для тех, кому не хватает смелости мечтать.

Вот оно. Вот то, чего не выносит система, но мечта непременно одержит верх, причем раньше, чем американцы потерпят поражение во Вьетнаме.

Пауло верил в это. Он сам выбрал себе это сумасшествие и теперь хотел прожить его как можно насыщенней, остаться в нем до тех пор, пока его не призовут сделать что-то такое, что поможет изменить мир. Он мечтал стать писателем, но пока еще не был готов и к тому же сомневался, что книги обладают достаточной властью и могуществом, но, двинувшись по этому пути, он изо всех сил бы старался показать другим то, чего они еще не видели.

Одно было несомненно: обратной дороги нет, и сейчас перед ним лежит только она — дорога света.

Пауло встретил бразильскую чету — Тьяго и Табиту: они узнали соотечественника по нашивке на рукаве.

— Мы — Дети Господа, — сказали они и пригласили его навестить их в пансионе.

Но ведь все мы — дети Господа, разве не так?

Да, но они исповедуют культ, на основателя которого снизошло озарение. Не хочет ли он ознакомиться с этим поближе?

Пауло заверил, что непременно познакомится — и когда Карла под вечер расстанется с ним, он уже обзаведется новыми друзьями.

Но стоило им отойти, Карла сорвала нашивку с его куртки.

— Ты ведь уже купил то, что искал — а звезды куда красивей знамен. Если хочешь, помогу тебе приладить это в форме египетского креста или эмблемы хиппи.

— Зря ты это сделала. Можно было попросить меня, а я бы уж сам решил, носить нашивку на рукаве или нет. Я люблю и ненавижу свою страну, но это — мое дело. Мы с тобой только что познакомились, и если тебе кажется, будто ты можешь руководить мной и направлять меня потому лишь, что ты — единственный человек, которого я в самом деле повстречал тут — мы сию минуту расстанемся. Думаю, я как-нибудь сам отыщу себе недорогой ресторанчик.

Голос его звучал жестко и отчужденно, но Карле — вот ведь странность! — понравилась его реакция. Не мямля и не хлюпик, и даже в чужом городе не подчиняется ничьим указаниям. Судя по всему, уже многое повидал в жизни.

Она протянула ему нашивку.

— Спрячь куда-нибудь. Говорить на языке, которого я не понимаю, — верх невоспитанности, а приехать сюда с другого конца света и общаться с земляками — свидетельствует о полном отсутствии воображения. Если еще раз заговоришь при мне по-португальски, я стану говорить по-голландски, и едва ли у нас выйдет живой диалог.

Ресторан оказался не просто дешевый, а БЕСПЛАТНЫЙ, и это волшебное слово делает любую еду вкусней.

— Кто это придумал? Голландское правительство?

— Да, правительство не допустит, чтобы кто-то из его граждан голодал, но в данном случае деньги идут от Джорджа Харрисона, который принял нашу веру.

Карла следила за разговором со смесью фальшивого интереса и неподдельной скуки. Безмолвная прогулка подтвердила слова ясновидящей: этот юноша — самый подходящий спутник для поездки в Непал: он не говорун, не навязывает свое мнение, но умеет отстаивать свои права — вот как вышло с этой нашивкой на рукаве. Просто нужно будет выбрать подходящий момент, чтобы сделать ему предложение.

В ресторанчике был «шведский стол», и они набрали себе вкуснейших вегетарианских блюд, слушая, как человек в одеждах оранжевого цвета рассказывает о своей религии. Должно быть, последователей у них было много, и становилось все больше — очень уж большой популярностью сейчас пользовалось у жителей Запада все, что исходило с экзотического Востока.

— Вы, вероятно, по дороге сюда уже встречались с людьми из нашей общины, — сказал тот, кто выглядел старше остальных — седобородый, с благочестивым взором человека, ни разу в жизни не согрешившего. — Религия наша носит сложное название, поэтому зовите нас просто кришнаитами, под этим именем мы известны уже несколько веков, поскольку верим, что от повторения слов «Харе Кришна, Харе Рама» у нас в сознании освобождается место для притока энергии. Мы веруем, что все на свете — едино, что у нас всех — общая душа и что каждая капелька света, проникающая в нее, освещает самые темные закоулки вокруг. Желающие могут на выходе бесплатно взять книгу «Бхагавад Гита» и заполнить анкету для формального членства в нашей общине. Вы ни в чем не будете нуждаться, ибо так возвестил Господь Кришна перед началом великой битвы, когда один из воинов признался, что испытывает вину за участие в междоусобице. Господь Кришна ответил ему, что никто не убивает и не умирает — каждый должен лишь исполнять свой долг и делать, что скажут.

Он взял экземпляр книги: Пауло с интересом смотрел на гуру, а Карла с не меньшим интересом — на него самого, хотя и подозревала, что она вроде бы уже слышала это раньше.

— О, сын Кунти, ты либо падешь с честью на поле брани и будешь взят на небеса, либо одолеешь своих врагов и покоришь то, о чем мечтаешь. А потому не спрашивай, ради чего идет эта война, а вставай и сражайся.

Хиппи

Гуру закрыл книгу.

— И нам надлежит поступать так. Вместо того, чтобы терять время, говоря «это хорошо» или «это плохо», мы обязаны исполнить свою судьбу. Ибо она привела вас сюда. Кто захочет, сможет после трапезы выйти с нами на улицу танцевать и петь.

Глаза у Пауло заблестели, и, хотя он ничего не сказал, Карла все поняла и так.

— Ты ведь не собираешься идти с ними на улицу?

— Как раз собираюсь. Никогда не пробовал такого.

— А ты знаешь, что они занимаются сексом только после свадьбы и только ради продолжения рода, а не для удовольствия? И ты веришь, что община, считающая себя столь просветленной, способна отвергать, отрицать, осуждать нечто, столь чудесное?

— Я думаю не о сексе, а о песнопениях и танцах. Я так давно не слышал музыки и не пел, что в жизни моей образовалась черная дыра.

— Я могу сегодня вечером сводить тебя туда, где поют и танцуют.

Почему эта девушка так заинтересовалась им? Она ведь могла вскружить голову любому и в любую минуту. Он неожиданно вспомнил о своем попутчике-аргентинце — а вдруг Карле тоже нужен помощник в каком-то деле, принимать участие в котором у него нет ни малейшей охоты?

— Ты знаешь Дом Восходящего Солнца?

Вопрос его можно было истолковать трояко: во-первых, он мог спрашивать, знакома ли ей композиция группы «Энималс» «The House of the Rising Sun». Во-вторых, знает ли она, о чем там идет речь. Ну и, в-третьих, как она сама насчет этого[1].

— Не валяй дурака.

Похоже, что этот юноша, поначалу показавшийся ей умным, обаятельным, легкоуправляе-

---

[1] The House of the Rising Sun или Rising Sun Blues (Дом Восходящего Солнца или Блюз Восходящего солнца) — народная, предположительно американская песня неопределенного авторства. Специалисты находят в ней некоторое сходство с английскими фольклорными балладами XVI и XVII веков. Что именно подразумевается под названием «Дом Восходящего Солнца» — бордель, игорное или питейное заведение, — известно не вполне. В 1964 году английская группа Animals записала и выпустила свою версию песни, которая надолго заняла первые строчки в хит-парадах Великобритании и США и вошла в список 500 лучших песен всех времен журнала Rolling Stones под номером 123. (*Прим. ред.*)

мым молчуном, все понял неправильно. И, как ни трудно было в это поверить, она нуждалась в нем больше, нежели он — в ней.

— Ладно. Ты пойдешь с ними, а я буду идти на расстоянии. Потом встретимся.

Ей хотелось добавить: «Я давно переросла увлечение кришнаитами», но она промолчала, боясь спугнуть добычу.

Как весело было подпрыгивать в такт музыке, распевать во всю глотку, следуя за этими людьми в оранжевой одежде, которые позвякивали колокольчиками и, казалось, были в полном ладу с действительностью и очень довольны жизнью. Вот к ним присоединились еще пятеро, а потом на улицах к шествию примыкали новые и новые прохожие. Пауло время от времени поворачивал голову, проверяя, идет ли следом Карла. Ему не хотелось терять ее — таинственную силу, их сблизившую, невозможно было понять, но следовало сберечь. Да, Карла шагала за ними, держась чуть поодаль, чтобы не смешиваться с вереницей кришнаитов, и они с Пауло улыбались друг другу каждый раз, как встречались глазами.

Возникшая связь крепла.

Вспомнилась прочитанная в детстве история про крысолова из Гаммельна, где главный герой в отместку городским властям, не заплатившим ему обещанное, волшебной силой своей музыки увел из города детей. Примерно так и происходило сейчас — Пауло, превратившись в ребенка, приплясывал посреди мостовой и дивился тому, как все это непохоже на то, как в прошлом он годами просиживал над книгами по магии, совершал замысловатые ритуалы и считал, что приближается к настоящим аватарам. Как ни странно, эти песнопения и танцы вызывали у него те же ощущения.

От бесконечного повторения мантры и ритмичной пляски он незаметно для себя впал в такое состояние, когда мысли, и логика, и улицы вокруг утратили вдруг всякий смысл — голова стала совершенно пустой, и Пауло возвращался в реальность лишь время от времени, чтобы убедиться, что Карла идет следом за ним. Да, она была тут, и как хорошо было бы, чтобы она осталась в его жизни как можно дольше, пусть они знакомы всего три часа.

Пауло был уверен, что нечто подобное испытывает и она — а иначе ушла бы еще в ресторане.

Теперь он лучше понимал слова Кришны, обращенные перед битвой к воину Арджуне. Слова эти были запечатлены в его душе и запомнились именно так:

«Сражайся, ибо необходимо биться, ибо ты сейчас вступишь в бой.

Сражайся, ибо ты — в согласии со Вселенной, с планетами, с солнцами, которые взрываются и со звездами, которые прячутся и гаснут навсегда.

Сражайся, чтобы свершилась твоя судьба, не думай о выигрыше или выгоде, о потерях или стратегиях, о победах или поражениях.

Старайся вознаградить не самого себя, но Великую Любовь, не дающую ничего, кроме краткого контакта с Космосом и требующую для этого полнейшей преданности — нерассуждающей, не задающей вопросов — и любви исключительно ради самой любви.

Любви, что никому ничего не должна и никого ни к чему не обязывает, а находит радость лишь в том что существует и может проявиться».

Процессия добралась до площади Дам и двинулась вокруг. Пауло решил остановиться, чтобы девушка нагнала его. Она казалась теперь другой — словно немного расслабилась — и чувствовала себя с ним непринужденней. Солнце уже не жгло с прежней силой, и сейчас он вряд ли увидел бы обнаженных до пояса девушек, но — словно бы все, что он загадывал, выходило наоборот — оба заметили слева от себя яркое сильное свечение. А поскольку заняться было нечем, они решили пойти и узнать, что там такое.

Мощные светильники освещали совершенно голую модель, прикрывавшую низ живота тюльпаном. За спиной у нее высился обелиск в центре площади Дам. Карла спросила одного из ассистентов, что происходит.

— Снимаем рекламный плакат по заказу министерства туризма.

— Так вот какую Голландию они хотят впарить иностранцам? Сказать, что люди ходят по городу в чем мать родила?

Ассистент отошел, ничего не ответив. В этот миг съемку прервали, гримерша направилась к модели подкрасить ей правую грудь, а Карла обратилась к другому ассистенту с тем же вопросом. Взмыленный ассистент попросил не мешать, но Карла твердо знала, чего хочет.

— Вы чем-то озабочены. Чем?

— Светом. Быстро смеркается, очень скоро Дам окажется в потемках, — ответил тот, явно желая поскорее отделаться.

— Вы что, не здешний? Начало осени — солнце будет сиять вовсю до семи вечера. Кроме того, в моих силах остановить его.

Ассистент поглядел на нее с недоумением. А она добилась чего хотела — привлекла его внимание.

Хиппи

— Зачем вы снимаете для постера голую женщину, которая прикрывает лобок тюльпаном? Неужели хотите, чтобы иностранцы так воспринимали Голландию?

Ответ прозвучал со сдержанным раздражением:

— Какая Голландия? Кто вам сказал, что вы в Голландии, где окна всегда выходят прямо на улицу, а кружевные занавесочки на них всегда раздвинуты, чтобы всем было видно, что происходит внутри, и убедиться, что никто не грешит, и жизнь каждой семьи — это открытая книга? Вот она Голландия, милая девушка — страна, где правит кальвинизм, где человек грешен по определению, пока не доказано обратное, и грех гнездится у него в сердце, в мозгу, в теле, в каждом его чувстве. И лишь неизреченное милосердие Божье способно спасти иных — но не всех, а лишь избранных. Вы же местная, как вы еще не поняли этого?

Он закурил, не сводя глаз с этой девушки, еще недавно такой заносчивой, а теперь явно сбитой с толку его словами.

— То, что вы видите здесь, милая моя, это не Голландия. Это — Амстердам, город с проститутками в окнах и наркотиками на улицах, город, окруженный невидимым санитарным кордоном. И горе тем, кто осмелится излагать эти идеи за городской чертой. Их ждет не только неласковый прием — они не смогут снять номер в отеле, если не будут одеты надлежащим образом. Вам разве это невдомек? Теперь, будьте добры, отойдите и не мешайте нам работать.

И с этими словами он отошел сам, а Карла осталась стоять как пришибленная. Пауло принялся было утешать ее, но она пробормотала:

— Все так. Все так. Он совершенно прав.

Как это? Почему? У пограничника в ухе была сережка!

— Город обнесен невидимой стеной, — объяснила она. — Вы хотите сходить с ума? Что же, давайте найдем место, где каждый сможет делать все, что ему вздумается, но только не переходя за эту черту, ибо там человека немедленно арестуют за распространение наркотиков, хотя он всего лишь их потребляет сам, а девушку, не надевшую лифчик, — за оскорбление общественной морали. Ибо надо соблюдать приличия и нравственность, иначе страна не сможет двигаться вперед.

Пауло был слегка удивлен. Карла, уже уходя, сказала:

— Давай встретимся здесь же в девять вечера. Я ведь обещала, что покажу тебе НАСТОЯЩИЕ танцы и дам послушать НАСТОЯЩУЮ музыку. И только попробуй не прийти: еще ни один мужчина не манкировал мной.

Хиппи

Карла, кстати, не была вполне уверена, что он придет, и жалела, что не приняла участие в шествии — это еще больше сблизило бы их. Но в конце концов этот риск неизбежно подстерегает каждую пару.

Пару?

«Верю всему, что говорят мне, а потом неизменно оказываюсь обманута, — часто слышала она. — С тобой такого не бывает?»

Разумеется, бывало, но к двадцати трем годам она уже научилась защищаться. А иначе — если перестать доверять людям — превратишься в того, кто постоянно обороняется, кто неспособен любить и неизменно сваливает вину за собственные ошибки на других. Что за удовольствие можно найти в такой жизни?!

Тот, кто уверен в себе, доверяет другим. Ибо знает — если его предадут (а его непременно предадут, ибо это жизнь), он сумеет отплатить сторицей. А жизнь тем и хороша, что если живешь — рискуешь.

То заведение с многообещающим названием «Парадизо», куда собиралась повести его Карла, на деле оказалось... церковью. Выстроенной в XIX веке для одной местной общины — впрочем, уже в середине 50-х годов нашего века стало очевидно, что прихожан становится все меньше и меньше, хотя эта церковь и представляла собой реформированное ответвление лютеранства. В 1965-м, когда содержать ее стало чересчур дорого, и разбежались последние приверженцы, там обосновались хиппи, обнаружившие, что центральный неф — идеальное место для дискуссий, лекций, концертов и политических митингов.

Вскоре полиция выгнала их оттуда, но церковь продолжала пустовать, и хиппи вернулись в еще большем количестве, и властям предстояло решить — применить силу по-настоящему или смириться. Встреча между длинноволосыми оборванцами и респектабельными муниципальными чиновниками кончилась тем, что на месте алтаря разрешили смонтировать сцену с тем условием, что новые хозяева будут платить налог с каждого проданного билета и будут беречь витражи в задней части собора.

Налоги, разумеется, никто и не подумал платить — организаторы утверждали, что все «культурные мероприятия» убыточны, но, кажется, власти не придавали этому значения и не собирались больше никого изгонять. Тем более что витражи всегда были чисто вымыты, трещины быстро заделывались свинцом и цветным стеклом, что лишний раз доказывало славу и красоту Царя Царей. Когда спрашивали, зачем так стараться, хиппи отвечали:

— Затем, что это красиво. И это — плоды большого труда: их надо было придумать, воплотить, поставить на место. Мы пришли сюда показать свое искусство и уважаем искусство наших предшественников.

Когда они вошли, хиппи плясали под музыку, в ту эпоху уже ставшую классикой. Из-за высоченного купола акустика в соборе была не из лучших, но какое значение это имело? Разве помышлял Пауло об акустике, когда распевал на улице «Харе Кришна»? Важно было совсем иное: все веселились, улыбались, покуривали, бросали друг на друга взгляды — иногда обольщающие, иногда просто восхищенные. К этому времени уже не надо было платить ни за вход, ни налоги — муниципалитет теперь не только следил, чтобы не нарушались законы, но и взял на себя все — оплачиваемые из бюджета, — хлопоты по сохранению культурного наследия.

Судя по всему, обнаженной моделью с тюльпаном у лобка дело не ограничилось — власти явно были намерены превратить Амстердам в столицу особого мира, тем более что хиппи вдохнули в город новую жизнь, и, по сведениям Карлы, почти все номера в отелях были заполнены: туристы рвались сюда посмотреть на это племя без вождя, о котором ходили слухи — лживые, разумеется — будто девушки-хиппи всегда готовы заняться любовью с первым встречным.

— Я смотрю, голландцы не дураки.

— Разумеется. А мы захватили весь мир, включая твою Бразилию.

Они поднялись на хоры, окружавшие центральный неф. Все та же несовершенная акустика позволяла им говорить, не напрягая голос — оглушительная музыка внизу не мешала. Однако ни Пауло, ни Карле говорить не хотелось: облокотившись о деревянную баллюстраду, они разглядывали танцующих. Девушка предложила спуститься и примкнуть к ним, но Пауло сказал, что умеет танцевать исключительно под «Харе Рама! Харе Кришна!». Оба засмеялись, закурили одну на двоих сигарету, а потом Карла кому-то помахала: сквозь дым Пауло разглядел еще одну девушку.

— Вильма, — представилась та.

— Мы отправляемся в Непал, — сказала Карла, и Пауло рассмеялся этой шутке.

Вильма растерялась от неожиданности, но никак не выдала свои чувства. Карла, извинившись перед Пауло, заговорила с подругой по-голландски, а он продолжал разглядывать танцующих внизу.

Непал? Значит, девушка, которую он только что повстречал и которая, судя по всему, с удовольствием общалась с ним, скоро уезжает? Причем она сказала «мы» — так, словно у нее уже были спутники для этого приключения. И наверняка эта поездка на край света обойдется в огромную сумму.

Ему ужасно нравилось здесь, в Амстердаме, но причина этого была ему ясна — он был не один. Ему ни с кем не надо было заводить разговоры или знакомства, ибо он сразу же нашел себе компанию и с удовольствием бродил по всему городу. Сказать, что он влюбился в нее, было бы преувеличением, но Карла обладала именно тем типом темперамента, который так привлекал его: эта девушка твердо знала, чего хочет.

Но отправляться в Непал? Да еще с девушкой, которую невольно придется оберегать и защищать, ибо именно так воспитали его родители. Но это — за пределами его финансовых возможностей. Он знал, что рано или поздно покинет это волшебное место, а ближайшей его целью станет — если, конечно, пограничники разрешат — Пикадилли и те люди, что стекаются туда со всего света.

Карла продолжала разговор с подругой, а он делал вид, будто внимательно слушает музыку —

Саймон и Гарфанкель, Джеймс Тейлор, Сантана, Карли Саймон, Джо Кокер, Би-Би Кинг, «Криданс Клиаруотер Ревайвл»: огромный перечень, увеличивающийся не по дням, а по часам. Конечно, была еще та бразильская пара, с которой он познакомился днем, они наверняка могут свести его с другими людьми, но разве можно допустить, чтобы она ушла, едва успев войти в его жизнь?

Он услышал знакомые аккорды «Энималс» и вспомнил, как просил Карлу отвести его в Дом Восходящего Солнца. Финал композиции звучал пугающе, Пауло знал текст наизусть, но явственно звучащая угроза влекла его и завораживала.

Мать, скажи своим детям
Не делать то, что сделал я
Не тратить жизнь в страдании и грехе
В Доме Восходящего солнца.

Это было внезапное озарение, объяснила Карла Вильме.

— Хорошо, что ты сумела сдержаться. Могла бы все испортить.

— Ты насчет Непала?

— Да. Потому что когда-нибудь я стану старой и толстой, у меня будет ревнивый муж и дети, которые не дадут мне заниматься самой собой, и работа в конторе, где каждый день я буду делать одно и то же, и в конце концов привыкну ко всей этой рутине, к комфорту, к дому, где буду жить. Я всегда могу вернуться в Роттердам. Всегда смогу наслаждаться чудесами пособия по безработице или еще какими-нибудь социальными благами, на которые щедры наши политики. Всегда смогу стать президентом компании «Шелл» или «Филипс» или «Юнайтед Фрут», потому что я — голландка, а в этих корпорациях доверяют лишь своим соотечественникам. Но в Непал надо ехать сейчас. Или — или никогда. Потому что я уже старею.

— Это в 23 года?

— Годы летят стремительней, чем тебе кажется. И тебе, Вильма, я тоже советую поторопиться. Рискни сейчас, пока есть здоровье и отвага. Мы ведь с тобой обе считаем, что Амстердам — пошлое место, но считаем так, потому что привыкли. Сегодня, когда я увидела, как горят глаза у этого бразильца, неожиданно поняла, что я сама — пошлячка. Разучилась замечать и ценить красоту свободы, потому что привыкла к ней.

Она покосилась на Пауло, с закрытыми глазами слушавшего «Стэнд бай ми», и продолжала:

— И тогда я поняла, что должна заново открыть красоту — и этого будет достаточно. Понять, что я еще очень многого не видела, не испытала и не попробовала. Куда повлечется мое сердце, если я не знаю еще стольких дорог? Где будет моя следующая остановка, если я пока не трогалась с места? На какие кручи взберусь, если не вижу веревки, чтобы за нее ухватиться? Именно за этим я приехала из Роттердама в Амстердам, я пыталась звать за собой мужчин, чтобы они прошли со мной по несуществующим путям, взошли бы на борт корабля, никогда не пристающего к берегу, поднялись бы в бескрайние небеса — но от всех получала отказ: всех пугала я сама или неведомая цель в конце пути. Но вот сегодня я повстречала этого бразильца, который шел по улице, приплясывая и распевая «Харе Кришна». Я и сама бы пошла с ним рядом, но слишком уж хочу казаться сильной женщиной — это меня и остановило. А теперь я больше не сомневаюсь.

Вильма все еще не могла взять в толк, при чем тут Непал, и как он Карле поможет.

— И когда ты подошла, я упомянула Непал, я почувствовала, что мне надо это сделать. Потому что в тот же миг я заметила на его лице не только удивление, но и страх. Не иначе, богиня нашептала мне приказ сделать это. Я уже не так сильно тревожусь, как утром, как всю эту неделю — когда начала сомневаться, смогу ли осуществить свою мечту.

— Ты давно вынашиваешь ее?

— Недавно. Увидела вырезку из какого-то альтернативного журнала. И с того дня Непал не выходит у меня из головы.

Вильма хотела спросить, не слишком ли много ли она выкурила в этот день гашиша, но тут подошел Пауло.

— Потанцуем? — предложил он.

Карла взяла его за руку, и они спустились в центральный неф. Вильма осталась, сама не зная, что ей теперь делать, но эта проблема была из числа быстроразрешимых — в то время стоило кому-нибудь остаться в одиночестве, как к нему непременно кто-нибудь подходил и завязывал разговор — здесь все беседовали со всеми.

Когда вышли на улицу, в мелкий дождь и тишину, у Пауло в ушах еще звенело от музыки. И приходилось почти перекрикиваться:

— Придешь сюда завтра?

— Буду стоять на том месте, где мы встретились в первый раз. Потом мне надо будет пойти купить билеты на автобус, идущий в Непал.

Опять Непал? Да еще и на автобусе??

— Ну, если хочешь, идем вместе... — сказала она так, будто делала ему большое одолжение. — Но я хотела повезти тебя за город погулять. Ты видел когда-нибудь ветряную мельницу?

И сама рассмеялась от своего вопроса: именно так весь мир представляет ее страну — сабо, ветряные мельницы, коровы, проститутки в витринах.

«Встретимся там же, — ответил Пауло, который был и встревожен и очень доволен, потому что эта пахнущая пачулями красавица с цветами в волосах, в длинной юбке, в курточке, украшенной кусочками зеркала — словом, само совершенство — захотела увидеться с ним снова. — Около часу дня. Мне надо поспать немного. Но разве мы не пойдем ни в какой «Дом Восходящего Солнца»?

— Я сказала, что покажу тебе один. Но не сказала, что пойду с тобой.

Они прошли метров двести до тупика и остановились перед домом без таблички с номером. Из-за двери не доносилось музыки.

— Ну, вот, например, здесь... Только хочу дать тебе... — Она замялась, не решаясь сказать «совет», потому что это было бы худшее из возможных слов. — Хочу предостеречь. Наружу ничего оттуда не выноси: мы не видим полицию, но она следит из какого-то окна за всеми, кто посещает заведение. И обычно обыскивает выходящих. И тот, кто что-нибудь вынесет, отправится прямиком в тюрьму.

Пауло кивнул и спросил, нет ли других предостережений.

— Не экспериментируй.

С этими словами она поцеловала его в губы — чистый поцелуй сулил многое, но сейчас не давал ничего — повернулась и пошла в сторону своего хостела. Пауло остался один, раздумывая, войти или нет. Может быть, лучше вернуться и начать украшать куртку купленными накануне металлическими звездами?

Однако любопытство пересилило — и он двинулся к двери.

Узкий коридор с низким потолком был скудно освещен. Какой-то бритоголовый человек с ухватками полицейского (одинаковыми в любой стране мира) оглядел Пауло с ног до головы — произвел пресловутый «фейс-контроль», позволяющий оценить истинность намерений, степень нервозности, финансовое положение и профессию посетителя. Осведомился, есть ли у него деньги. — Есть, — ответил Пауло, но показывать не собираюсь, тут не пограничный пост. Бритоголовый секунду поколебался, но все же пропустил — турист? подумал он, — вряд ли. Туристы этим не интересуются.

Несколько человек лежали на полу, на матрасах, другие сидели, привалившись к выкрашенным в красный цвет стенам. Зачем я здесь, мелькнуло в голове у Пауло. Чтобы утолить извращенное любопытство?

Не слышно было ни голосов, ни музыки. И извращенное любопытство вполне утолялось тем, что он видел — а видел он только странный блеск (или отсутствие его) в глазах у всех. Он попытался заговорить с юношей своего возраста — все его тощее, голое по пояс тело было покрыто странными волдырями: казалось, он расчесал укусы какого-то насекомого, и они покраснели и воспалились.

Появился еще какой-то человек: по виду — лет на десять старше большинства юнцов на улице, но все же по возрасту он был ближе к Пауло, чем к поколению его родителей. Создавалось впечатление, что, по крайней мере, сейчас он тут единственный, кто сохраняет трезвость. Однако через мгновение и он перейдет в другую вселенную, и Пауло подошел поближе, чтобы получить от него хоть что-то, пусть хоть одну фразу для книги, которую когда-нибудь напишет — он ведь мечтал стать писателем и платил за свою мечту очень дорого: лежал в психиатрической больнице, сидел в тюрьме, изведал пытки, потерял свою первую, еще школьную возлюбленную, которой мать запретила даже смотреть в его сторону, испытал травлю одноклассников за свою особую манеру ходить, говорить, одеваться.

И, словно бы в отместку, к дружной зависти всех окружающих завел роман с красивой и богатой женщиной и начал странствовать по свету.

Но к чему было вспоминать все это сейчас, в этом вертепе, в этой странной, упаднической обстановке? — К тому, что Пауло необходимо было перемолвиться с кем-нибудь словом. Он присел рядом с юношей/стариком. Тот извлек откуда-то ложку с изогнутым черенком и шприц, которым явно пользовались уже много раз.

— Я хотел бы...

Юноша/старик поднялся и хотел пересесть подальше, но Пауло достал из кармана деньги (доллара три-четыре в пересчете на местную валюту) и положил их на пол, рядом с ложкой. Тот взглянул с удивлением:

— Ты что — из полиции?

— Да нет. Я вообще не голландец. И хотел бы всего лишь...

— Журналист, что ли?

— Тоже нет. Писатель. И потому пришел сюда.

— Писатель? И что же ты написал?

— Пока ничего. Сначала надо изучить материал.

Человек неопределенного возраста покосился на деньги, перевел взгляд на Пауло, явно сомневаясь, что в столь юном возрасте можно заниматься писательством, если это не статьи в газеты из «Незримой Почты». И потянулся к деньгам, но Пауло остановил его руку.

— Пять минут разговора. Всего пять.

Юноша/старик согласился — никто еще не платил ему столько с тех пор, как он, впервые испытав «поцелуй иглы», бросил службу в крупном транснациональном банке, где делал быструю карьеру.

«Поцелуй иглы»?

— Да. Прежде чем впрыснуть героин, мы несколько раз колемся простой иглой, ибо то, что вы называете болью, для нас — преддверие встречи с чем-то таким, чего вам никогда не понять.

Они разговаривали шепотом, чтобы не мешать остальным, хотя Пауло знал — даже если сейчас взорвется атомная бомба, никто из присутствующих и не подумает убежать.

— Мое имя не упоминай.

Он заговорит, и пять минут пролетят как один миг. Пауло чувствовал в этом доме присутствие дьявола.

— Ну и как? Каковы ощущения?

— Как-как... Это нельзя описать — можно только самому попробовать. Или поверить словам Лу Рида и «Велвет Андерграунд»

Хиппи

Лишь вогнав колючку в вену,
Оживаю постепенно.
Все не так, все на измене
В этой гонке неспроста
Я как будто сын Христа.

Пауло приходилось слышать Лу Рида. Этого ему было мало.

— Попытайся все же описать... Пять минут проходят.

Парень глубоко вздохнул. Одним глазом он глядел на шприц, другим — на Пауло. Понял, что надо ответить немедленно и избавиться от назойливого «писателя», покуда того не выгнали отсюда с деньгами вместе.

— Я так понимаю, ты пробовал наркоту. И знаю, как действуют гашиш и марихуана — в душе воцаряется мир и покой, человек испытывает эйфорию, уверенность в себе, ему хочется есть и трахаться. Для меня это все неважно... для меня это все — из жизни, которой нас всех обучили. Ты куришь гашиш и думаешь: «Мир прекрасен, я наконец-то стал обращать внимание на то, чего прежде не замечал», но в зависимости от дозы вскоре отправляешься в странствия, которые приводят в ад. Ты принимаешь ЛСД и думаешь: «Мать твою, как же я раньше не видел, что земля дышит, а цвета меняются ежесекундно?» ты это хотел узнать?

Да, Пауло хотел узнать именно это. И ждал продолжения.

— С героином все совсем иначе: ты вполне владеешь своим телом, своим мозгом, своим искусством. И чувствуешь при этом неимоверное, неописуемое счастье, которое заполоняет вселенную. Иисус сошел на землю. Кришна — в твоих венах. Будда улыбается тебе с небес. И это не глюки, а реальность, чистейшая реальность. Веришь?

Нет, он не верил. Но лишь молча кивнул.

— На следующий день нет ломки, и чувствуешь только, что побывал в раю и вернулся оттуда к этой подделке, которую тут называют миром. Идешь на работу и вдруг сознаешь, что все вокруг — ложь, что люди из кожи вон лезут, оправдывая свое существование, пыжатся, напуская на себя значительность, на каждом шагу создают сложности, потому что, преодолевая их, обретают, как им кажется, силу и власть. Ты не в силах больше сносить это лицемерие и решаешь вернуться в рай, однако рай дорог, а врата его узки. Вошедший постигает, что жизнь прекрасна, что солнце можно разделить на лучи, и оно не будет больше этим скучным кругляшом, на который даже и взглянуть нельзя. На следующий день ты едешь с работы, и вагон набит людьми — и глаза у них пустее, чем у здешних завсегдатаев. И каждый думает, как приедет домой, приготовит ужин, включит телевизор, уйдет от действительности, но пойми ты, действительность — это белый порошок, а не телевидение!

Пауло слушал его и чувствовал искушение попробовать — пусть хоть один раз, всего один раз. И парень без возраста знал это.

— Когда я курю гашиш, понимаю, что существует мир, к которому я не принадлежу. То же — и с приемом ЛСД. Но героин... героин, понимаешь ли ты... — это я и есть. От него хочется жить, независимо от того, что там будут говорить те, кто *снаружи*. Проблема с ним только одна...

Хорошо, что она есть, эта проблема. Пауло срочно нужно было узнать, в чем она заключается, потому что он находился в нескольких сантиметрах от кончика иглы и от своего первого опыта.

— А проблема в том, что организм привыкает, и ему нужно все больше. Сначала я тратил пять долларов в день, сейчас мне, чтобы попасть в рай, нужно двадцать. Я уже продал все, что можно — теперь остается только просить милостыню, а потом — воровать, потому что дьяволу не нравится, когда люди познают рай. Я наперед знаю все, что будет дальше, потому что так случилось со всеми, кто сейчас находится здесь. Но мне на это плевать.

Забавно. У каждого свое мнение о том, с какой стороны двери расположен рай.

— Пять минут уже вроде бы прошли.

— Да. Ты все толково мне объяснил. Спасибо.

— Начнешь писать — постарайся не уподобляться тем, кто осуждает все, чего понять не в силах. Будь честен. Лакуны заполни с помощью воображения.

Оба сочли, что разговор окончен, но Пауло не тронулся с места. Юноша/старик, сунувший деньги в карман, не возражал, рассудив, вероятно, что тот, кто уплатил, имеет право увидеть.

Он насыпал на ложку белого порошка и поднес к ней снизу огонек зажигалки. Мало-помалу порошок начал плавиться и превращаться в жидкость. Тогда юноша/старик попросил Пауло помочь ему со жгутом, чтобы резче выступила вена.

— Кое-кому и колоться уже не во что — вены ушли, что называется... Тычут иглу в ногу, в кисть руки, но мне, слава богу, до такого еще далеко.

Он набрал в шприц жидкости из ложки, потом, как и обещал вначале, несколько раз ткнул себя иглой, предвкушая вход в райские врата. Наконец сделал впрыскивание, и из глаз его почти сразу же ушло беспокойство, сменившись блаженством, чтобы через пять-десять минут потускнеть и уставиться в некую точку в пространстве, где, по его словам, парили Будда, Кришна и Иисус.

Пауло поднялся и, перешагивая через распростертых на грязных матрасах людей, направился к выходу, стараясь ступать как можно тише — но бритоголовый охранник не пропустил его.

— Ты ведь только недавно зашел. И уже уходишь?

— Ухожу. Денег нет.

— Врешь. Видели, как ты сунул несколько бумажек Теду (так, значит, звали парня, с которым разговаривал Пауло). Ты что — пришел сюда переманивать наших клиентов?

— Вовсе нет. Я просто поговорил с ним. Спустя какое-то время сможешь спросить его, о чем.

С этими словами Пауло предпринял новую попытку пройти, но гигант-охранник не посторонился. Пауло стало страшновато, хотя он понимал, что ничего особенно плохого не случится — Карла сказала, что полицейские следят за происходящим.

— Тут с тобой поговорить хотят, — показав на дверь в глубине комнаты, сказал бритоголовый таким тоном, что благоразумней было послушаться. Может, Карла все выдумала про полицию ради его успокоения?

Выбора не было, и он направился к двери. Она открылась, и на пороге появился скромно одетый человек с бакенбардами и коком, как у Элвиса Пресли. Он учтиво предложил зайти и указал на стул.

В кабинете не было ничего такого, что он привык видеть в кино — ни чувственных красоток, ни шампанского, ни людей в темных очках и с целым арсеналом крупнокалиберного оружия. Все выглядело очень скромно и пристойно — на выкрашенных в белое стенах висели несколько дешевых репродукций, а на пустом письменном столе стоял телефон. Стол, кстати, был старинный, прекрасно отреставрированный. За ним висела огромная фотография.

— Беленьская башня, — произнес Пауло, не заметив, что говорит на родном языке.

— Именно так, — ответил хозяин по-португальски. — Оттуда вышли мы завоевывать мир. Выпьете чего-нибудь?

Пауло отказался. Сердце у него все еще колотилось.

— Ну, кажется, я имею дело с человеком очень занятым, — продолжал хозяин, и эти слова совершенно не вязались с обстановкой, но свидетельствовали об учтивости. — Мы видели, как вы вошли и пытались выйти, как разговаривали с одним из наших посетителей. На переодетого полицейского не похожи. Скорей всего, вы — тот, кто с большим трудом сумел добраться до этого города и желает испробовать все, что тот может ему предложить.

Пауло промолчал.

— С другой стороны, вас не заинтересовал первоклассный товар, которым мы торгуем... А вас не затруднит показать ваш паспорт?

Еще как затруднит. Но отказаться невозможно. Он полез в свою сумку на поясе, вытащил и протянул паспорт. И сейчас же пожалел об этом — а вдруг не получит его назад?

Однако хозяин кабинета лишь мельком просмотрел страницы и с улыбкой вернул.

— Отлично... Всего несколько стран — Перу, Боливия, Чили, Аргентина и Италия. Не считая Голландии, разумеется. На границе у вас, судя по всему, проблем не возникло.

Ни малейших.

— А куда направляетесь отсюда?

— В Англию, — сказал Пауло первое, что пришло ему в голову, потому что он не собирался сообщать этому господину свой полный маршрут.

— Я хочу предложить вам кое-что... Надо доставить некий товар — ну, вы понимаете, какого рода — в Германию, в Дюссельдорф. Всего два кило, так что уместятся под рубашкой. Мы вам купим, конечно, просторный свитер — зимой все носят свитер под пиджаком. Кстати, в этой вашей курточке долго не проходите — скоро осень.

Пауло, не отвечая, ждал продолжения.

— Получите пять тысяч долларов: половину здесь, половину — когда передадите посылочку нашему человеку в Германии. И пересечь придется всего одну границу. А ваше путешествие в Англию, вне всякого сомнения, станет куда более приятным. Пограничники там очень строгие и обычно просят показать, сколько наличных «турист» везет с собой.

Не ослышался ли он? Неужели ему предложили это всерьез? Как устоять перед таким искушением — на эти деньги можно колесить по свету два года!

— А от вас требуется лишь дать ответ как можно скорее. В идеале — уже завтра. Пожалуйста, завтра в четыре позвоните вот по этому телефону.

Пауло взял протянутую ему карточку с предусмотрительно напечатанным номером — то ли слишком много товару приходилось отправлять в разные концы, то ли опасались графологической экспертизы.

— А теперь прошу прощения: мне нужно работать. Очень благодарен, что заглянули в мой скромный кабинет. Поверьте, я всего лишь стараюсь делать так, чтобы люди были счастливы.

Хиппи

С этими словами он поднялся, открыл дверь, и Пауло вновь оказался в комнате, где люди сидели, привалившись к стенам, или валялись на грязных матрасах. Миновал охранника, который на этот раз улыбнулся ему как сообщнику.

И вышел на улицу, под мелкий дождь, прося Господа помочь, или просветить, или, по крайней мере, не оставить одного в этот час.

Этот район был ему незнаком, он не знал, как добраться до центра, а карты у него не было — да и вообще ничего не было. Разумеется, такси выручило бы в такой ситуации, но ему надо было пройти под дождиком, который уже не моросил, а лил по-настоящему, лил, но ничего не отмывал — ни воздух вокруг Пауло, ни рассудок, где гвоздем засела мысль о пяти тысячах долларов.

Он спрашивал прохожих, как найти дорогу к Даму, но они, не останавливаясь, шли мимо: он был для них очередным пришлым полоумным хиппи, который не может найти своих. Наконец одна добрая душа — киоскер, уже раскладывавший на прилавке утренние газеты, продал ему план города и показал направление.

Он добрел до своего хостела, ночной портье зажег специальную лампу, чтобы удостовериться, что у постояльца на ладони есть пометка, которую невидимой краской ежедневно ставили каждому перед выходом. Его пометка оказалась, разумеется, просрочена — прошли целые сутки, казавшиеся нескончаемыми. Пришлось заплатить еще за день, взмолившись: «Только, ради бога, сейчас не ставьте пометку, я должен вымыться, я весь в грязи — и в буквальном смысле, и в переносном».

Портье согласился и велел вернуться не позднее чем через полчаса, потому что его дежурство кончается. Пауло направился в общую душевую, гудевшую от громких голосов, но сейчас же пошел к себе в комнату, взял карточку с телефоном, разделся и вернулся в душевую. Прежде всего он изорвал в мелкие клочки карточку, залил водой, чтобы нельзя было восстановить, и швырнул на пол. Кто-то крикнул ему, что нечего тут мусорить — вон под одной из раковин стоит урна. Мывшиеся обернулись на этого невежу, не умеющего себя вести в общей душевой, он не удостоил их взглядом и не стал ничего объяснять, однако послушался (чего не делал уже давно и ни при каких обстоятельствах), собрал и высыпал обрывки куда положено.

И лишь когда после этого встал под душ, почувствовал, что вот теперь наконец свободен. Да, разумеется, ничего не стоило вернуться туда, где он побывал, и получить другую карточку, но он знал, что получил шанс — и не использовал его.

И был чрезвычайно рад этому.

Он лег в постель, не сомневаясь, что демоны покинули его. А ведь они ждали, что он примет предложение и завлечет в их царство новых подданных. Нелепо, конечно, рассуждать так — в конце концов, наркотики и без того демонизированы сверх меры, но в данном случае люди правы. Но как же нелепо, что он, всегда защищавший наркотики как средство расширить сознание, теперь надеется, что голландская полиция перестанет терпеть безобразия в «Доме Восходящего Солнца», арестует там всех и отправит их подальше от людей, которые хотят всего лишь нести в мир любовь и мир.

Он не мог уснуть и потому говорил с Богом или с ангелом. Потом подошел к шкафу, где хранил свои вещи, снял с шеи ключ на шнурке, отпер чемодан и достал тетрадь, куда заносил свои наблюдения и мысли. Он не собирался записывать то, что услышал от Теда, вряд ли он когда-нибудь вставит это в книгу. Он вывел в тетради лишь слова, которые, как ему казалось, были продиктованы ему самим Богом:

Чем отличается море от волны?
Волна вздымается и сотворена из воды.
А когда разбивается о берег, состоит из нее же.

Скажи мне, Господи: почему они, такие разные, одинаковы?

Где тайна? И где предел ее?

Господь отвечает: все на свете — и вещи, и люди — одинаковы: и в этом состоит тайна и предел.

Когда Карла пришла, бразилец уже стоял на условленном месте: под глазами у него были темные круги, словно он не спал всю ночь или... Она предпочла не уточнять, что именно «или», потому что это означало бы, что этому человеку больше нельзя доверять, а ведь она уже привыкла к его присутствию и к его запаху.

— Ну, что, пойдем взглянем на ветряную мельницу — один из символов Голландии?

Пауло неохотно поднялся и двинулся следом за ней. Они сели в автобус и начали удаляться от Амстердама. Карла сказал, что нужно купить билет — внутри стоял специальный автомат для этого — но он пропустил ее слова мимо ушей: он спал плохо, устал от всего и хотел восстановить силы. Постепенно прежняя энергия стала возвращаться.

За окном тянулся однообразный пейзаж — бескрайние равнины, перерезанные каналами с подъемными мостами. Нигде не было видно ни единой мельницы. День оказался погожим, снова выглянуло солнце, и Карла заметила, что это — большая редкость: обычно в Голландии всегда льет дождь.

— Я вчера кое-что написал, — сказал Пауло, доставая из кармана блокнот. Он прочел вслух, но Карла не сказала, нравится ей или нет.

— А где море?

— Было здесь. Есть старинная поговорка: «Бог сотворил землю, а голландцы — Голландию». Сейчас море отодвинулось, и мы не можем в один день увидеть и его, и ветряную мельницу.

— Да я не хочу видеть море. И мельницу тоже. Хотя туристы от этого, наверно, в восторге. Но я-то, как ты, наверно, знаешь, к их братии не принадлежу.

— А почему сразу не сказал? Знаешь, как мне надоело таскать сюда друзей-иностранцев и показывать штуку, которая даже то, ради чего была поставлена, уже не делает... Мы могли бы в городе остаться.

И прямиком отправиться туда, где продают билеты на автобус, подумал он, но смолчал — все хорошо вовремя.

— А не сказал сразу, потому что...

И неожиданно для самого себя рассказал Карле обо всем, что случилось.

Она слушала, не перебивая, одновременно с облегчением и неодобрением. Не слишком ли ли остро он реагирует? Не принадлежит ли он к тем людям, которые легко переходят от эйфории к угнетенности и наоборот?

Он выговорился, и ему стало легче. Девушка выслушала его молча, не упрекала и не осуждала. И судя по всему, не считала, что он выбросил пять тысяч долларов в мусорную урну. Она не считала его слабаком — и от одной этой мысли он почувствовал прилив сил.

Они наконец добрались до ветряной мельницы, где группа туристов слушала гида: «...самая старая располагается в... (непроизносимое название), самая высокая — в (снова непроизносимое название) ... мололи зерно, кофе, какао, жали масло, помогали нашим мореплавателям превращать бревна в доски для строительства кораблей, благодаря которым мы в дальних плаваниях расширяли пределы Империи...»

Пауло, услышав гудок отходящего автобуса, схватил Карлу за руку и попросил скорее вернуться в город. Через два дня ни он, ни туристы не сумеют вспомнить, для чего использовались ветряные мельницы. Да и не за тем он пустился в странствия, чтобы получать такие сведения.

Хиппи

На обратном пути, на одной из остановок в автобус вошла женщина, надела на руку повязку с надписью «Контролер» и попросила всех предъявить билеты. Когда пришел черед Пауло, Карла уставилась в другую сторону.

— У меня нет билета, — сказал он. — Я думал, это бесплатно.

Контролерша, наверно, тысячу раз слышала такое, потому что заученно ответила, что хотя Голландия, без сомнения, очень щедра, но только люди с очень низким IQ могут думать, что и транспорт она предоставляет бесплатно.

— Вы хоть где-нибудь, хоть в какой-нибудь стране видели подобное?

Разумеется, не видел, но не видел также и... — тут Карла незаметно пихнула его в бок, и он решил больше не спорить. Уплатил штраф, в двадцать раз превышавший цену билета, не говоря уж о том, что пришлось выдержать осуждающие взгляды остальных пассажиров — честных кальвинистов, которые уважали закон и порядок и среди них — ни одного завсегдатая площади Дам и прилегающих улочек.

Когда сошли с автобуса, Пауло стало как-то не по себе — не выглядит ли его поведение так, будто он навязывает свое общество этой девушке, которая так удивительно сочетает мягкость и умение добиваться всего, что хочет? Может быть, пора попрощаться и позволить ей идти своей дорогой? Они только-только познакомились, а провели вместе уже целые сутки, почти не разлучаясь, словно такое было в порядке вещей.

Карла как будто прочла его мысли, потому что предложила проводить ее до агентства, где она купит билет до Непала.

Билет на автобус!

Это было уже за гранью самого дикого сумасбродства.

Агентство на самом деле оказалось крохотной конторой, где работал один человек, представившийся как Ларс Что-То-Там — фамилию его ни запомнить, ни хотя бы произнести Пауло не мог.

Карла спросила, когда отходит ближайший «Мэджик Бас» (так назывался этот автобус).

— Завтра. Осталось всего два билета, да и те наверняка скоро купят. А если нет, то по пути кто-нибудь подсядет.

Что ж, по крайней мере, Карла не успеет принять все меры предосторожности...

— А не опасно женщине пускаться в такой путь одной?

— Уверен, что в одиночестве вы пробудете не больше суток. И задолго до прибытия в Катманду за вами будут ухаживать все пассажиры мужского пола. За вами и за остальными одинокими путешественницами.

Забавно, что Карла НИКОГДА не рассматривала такой вариант. Сколько времени она потратила на поиски спутника, и все тщетно — эта орава парней согласна была только на то, что уже пробовали раньше: для них и путешествие в Латинскую Америку казалось рискованным. Все они готовы были наслаждаться свободой, лишь держась за мамину юбку. Она чувствовала, что Пауло пытается скрыть волнение, и ей это было приятно.

— Тогда, пожалуйста, один билет *туда*. Про *обратно* подумаю потом.

— До Катманду?

Ларс уточнил, потому что «Мэджик Бас» останавливался, высаживая или подсаживая пассажиров, в Мюнхене, Афинах, Стамбуле, Белграде, Тегеране или Багдаде.

— До Катманду.

— Индию посетить не желаете?

Пауло видел, что Ларс и Карла явно кокетничают друг с другом. А ему-то что? Она ему не возлюбленная — просто знакомая, притом недавняя, милая, но далекая...

— Сколько стоит билет до Катманду?

— Семьдесят американских долларов.

СЕМЬДЕСЯТ ДОЛЛАРОВ за то, чтобы попасть на край света? Что же это за автобус такой? Пауло не верил своим ушам.

Карла вытащила деньги из сумки на поясе и вручила Ларсу. Тот выдал квитанцию, которая отличалась от ресторанного счета тем лишь, что в ней было указано имя клиента, номер его паспорта и пункт прибытия. Затем заполнил листок с печатями и штампами, не означавшими решительно ничего, но придававшими ему солидный вид, и передал Карле билет вместе с картой, где был проложен маршрут.

— Деньги не возвращаются в случаях форсмажорных обстоятельств — стихийных бедствий, вооруженных конфликтов, закрытых границ и тому подобного.

Понятно.

— Когда ближайший рейс? — спросил Пауло, внезапно выйдя из своего угрюмого безмолвия.

— Как когда. Мы ведь работаем не по расписанию, сами понимаете.

Ларс произнес эти слова довольно неприязненно — так говорят со слабоумным.

— Понимаю. Но вы не ответили на мой вопрос.

— Ну, в принципе, если все будет нормально, автобус должен прибыть сюда через две недели, водитель — его зовут Кортес — отдохнет сколько-то времени и отправится в путь до конца месяца. Но гарантировать нельзя: Кортес, как и другие наши шоферы...

«Наши» он произнес так, словно речь шла о крупной транспортной компании, хоть сам только что утверждал, что это не так.

— ...не любят ездить одним и тем же маршрутом, автобусы — их собственность, и Кортес может отправиться в Марракеш, к примеру. Или в Кабул. Он постоянно устраивает мне такое.

Карла попрощалась, но сначала бросила на него убийственный взгляд.

— Не будь я так занят, предложил бы вам свои услуги в качестве шофера, — сказал Ларс, отвечая на ее прощальный кивок. — И тогда мы бы смогли познакомиться поближе.

Он говорил так, словно спутника у этой девушки не было вовсе.

— Будет еще случай... Когда я вернусь, сходим с вами выпить кофе, а дальше посмотрим.

В этот миг Ларс вдруг оставил прежний тон надменного хозяина жизни и сказал такое, чего никто не ожидал:

— Те, кто уезжает туда, обычно не возвращаются — по крайней мере, года два-три. Так мне рассказывали водители.

Похищения? Убийства?

— Да нет, ну что вы. Катманду еще называют «Шангри-ла», что в переводе значит «Райская долина». Как только привыкнете к высокогорью, найдете в этой долине все, что душе угодно. И трудно будет после этого возвращаться к прежней жизни в городе.

Вместе с билетом он вручил Карле еще одну карту, где были отмечены остановки.

— Завтра, в одиннадцать утра. Все собираются здесь. Кто не придет к этому часу, не поедет.

— Не слишком ли рано?

— Выспитесь в автобусе — времени у вас хватит.

Карла, наделенная характером упрямым и целеустремленным, еще накануне, когда они с Пауло встретились на Даме и потом пошли бродить по городу, решила, что он должен ехать с ней. Ей нравилось его общество, хоть они и провели вместе чуть больше суток. И ей приятно было сознавать, что никогда не влюбится в него, потому что уже испытывала к этому бразильцу какое-то странное чувство, которое должно было вскоре пройти: для Карлы достаточно было пожить с парнем недельку, чтобы его очарование рассеивалось без следа.

Потому что, рассуждала она, если так пойдет дальше, и она оставит в Амстердаме человека, которого считает идеальным, ее поездка будет испорчена непоправимо воспоминаниями о нем. А если она будет лелеять воспоминания о нем и взращивать в душе его образ, то вернется с полдороги, выйдет за него замуж (что совершенно не вписывалось в ее планы в нынешнем воплощении) или он уедет в какую-нибудь дальнюю экзотическую страну, где по улицам больших городов ползают змеи (хотя, наверно, это такая же легенда, как и те, что рассказывают про его отчизну).

Так что Пауло для нее оказался нужным человеком в нужное время. Она не собиралась превращать свое путешествие в Непал в кошмар, снова и снова отклоняя предложения мужчин. И собралась она в эту поездку потому лишь, что затея эта была совершенно безумной, находилась за гранью, а Карла выросла в сознании того, что ограничений для нее не существует вовсе.

Она никогда не пошла бы по улицам с кришнаитами, никогда не позволила бы себе увлечься никем из многих индийских гуру, которые умели учить только тому, как «очистить сознание». Как будто чистое, абсолютно пустое сознание кого-нибудь когда-нибудь приближало к Богу. После первых — и неудачных — попыток ей оставался только прямой контакт с Божеством — пугающим и обожаемым одновременно. Ее занимали теперь лишь одиночество и красота, прямая связь со Всевышним и, самое главное, способ удалиться от мира, который она очень хорошо знала и который больше не интересовал ее.

А не слишком ли молода была она, чтобы мыслить и поступать так, а не иначе? Конечно, в будущем она могла бы и изменить строй и ход своих мыслей, но недаром же она сказала Вильме в «кофе-шопе» — тот рай, что выдумали на западе, казался ей бессмысленным, однообразным и пошлым.

Пауло и Карла сидели на веранде кафе, где подавали только кофе и печенье — и ничего из того, что можно было получить в «кофе-шопах». Оба сидели лицом к солнцу, радуясь, что оно выглянуло после вчерашнего дождя, и сознавая, что эта благодать исчезнет с минуты на минуту. Оба не произнесли еще ни слова с той минуты, как вышли из «агентства путешествий», своими крохотными размерами удивившего Карлу, которая надеялась найти что-то более профессиональное.

— Так, значит...

— Так, значит, сегодня, может быть, последний день, что мы проводим вместе. Ты поедешь на восток, а я — на запад...

— И там, на Пикадилли увидишь копию того, что видел здесь, и вся разница будет только в центре площади. Потому что статуя Меркурия, конечно, гораздо красивей, чем этот фаллический символ Дама.

Карла не знала, что после визита в агентство Пауло ужасно захотелось поехать вместе с ней. Верней сказать — увидеть места, где бывают только раз в жизни, и все это за семьдесят долларов. Он с негодованием отверг собственное предположение, будто влюбился в эту девушку, в силу его заведомой вздорности: никогда он не влюбится в ту, кто не ответит ему взаимностью.

Он начал изучать карту: вот они перевалят через Альпы, пересекут по крайней мере два коммунистических государства, приедут в первую в его жизни мусульманскую страну: он столько о нем читал и так заинтересовался дервишами, кружившимися в безумной пляске и получавшими озарение и просветление, что даже отправился на представление гастрольной группы, которое состоялось в самом роскошном театре Рио. Очень-очень многое из того, что раньше было всего лишь вычитанно из книг, теперь могло стать реальностью.

И всего за семьдесят долларов. И в компании людей, обуянных тем же духом авантюризма.

Да, Пикадилли — это всего лишь площадь, где сидят люди в цветастой одежде, где полицейские ходят без оружия, где пивные закрываются в одиннадцать вечера, и откуда ходят экскурсии к памятникам истории и прочему в этом роде. Всего несколько минут — и он переменил решение: приключение интересней любых памятников. Древние говорили, что нет ничего более постоянного, чем перемены — ибо жизнь проходит стремительно. Не будь перемен, не было бы и вселенной.

Но неужто можно так быстро переменить решение?

Бесчисленны чувства, воздействующие на сердце человека, если человек этот вступил на духовную стезю. Они могут быть благородного свойства — вроде веры, любви к ближнему или милосердия. Это может быть просто прихоть или страх одиночества, любопытство или желание быть любимым.

Это неважно. Сама духовная стезя влечет сильнее, нежели причины ступить на нее. И мало-помалу она внушает нам любовь, дисциплину и достоинство. Приходит миг, когда мы оборачиваемся, вспоминаем, какими были в начале пути и смеемся над собой. Мы наделены способностью расти и развиваться, пусть даже ноги зашагали по этому пути по причинам, казавшимся важными, да оказавшимися сущими пустяками. Мы способны сменить направление в тот миг, когда это становится по-настоящему важно.

Любовь к Богу — самая сильная причина из всех, которые ведут нас к Нему. И всей силой души Пауло верил в это. Могущество Бога — ежеминутно с нами, но нам нужна отвага, чтобы оно проявилось в мыслях, в чувствах, в самом дыхании нашем, нужна отвага, чтобы переменить первоначальное решение, осознав, что мы — всего лишь орудие Его воли, и Его воле мы должны следовать.

— Я полагаю, ты хочешь услышать от меня «да», потому что вчера в «Парадизо» подстроила мне ловушку.

— Ты в своем уме?

— Я в нем не бываю.

Да, Карла очень хотела, чтобы он поехал с ней, но как всякая женщина, знающая ход мыслей мужчины, не могла в этом признаться. Если бы сказала хоть что-то, Пауло решил бы, что подчинил ее себе или — что было бы еще хуже — что готов ей подчиниться. Сейчас он понял всю ее игру — все то, что назвал «ловушкой».

— Ответь мне — ты хочешь, чтобы я поехал с тобой?

— Мне это совершенно все равно, — сказала Карла, а про себя добавила:

«Пожалуйста, пожалуйста, поезжай со мной. Не потому, что ты так уж хорош — тот швед из турагентства был куда напористей и целеустремленней. А потому что с тобой я чувствую себя лучше. И потому что я горжусь тобой, вспоминая, как ты, последовав моему совету, спас невесть сколько невинных душ, когда отказался везти в Германию героин».

— Все равно? То есть безразлично?

— Вот именно.

— В таком случае если я сейчас, сию минуту поднимусь, схожу в агентство и куплю себе билет, тебя это не огорчит и не обрадует?

Она поглядела на него и улыбнулась. Надеясь, что ее улыбка даст понять все то, что сама она не могла и не умела высказать словами — что она будет очень рада, если Пауло станет ее спутником в этом путешествии.

— За кофе платишь ты, — сказал он, вставая. — Я и так уже сегодня ухнул уйму денег на штраф.

Значит, Пауло понял по ее улыбке, что она старается скрыть свою радость. И она произнесла первое, что пришло в голову:

— У нас в стране женщины и мужчины платят поровну. Мы — не сексуальные объекты. А тебя оштрафовали, потому что не послушал меня. Ну и ладно, и не слушай. Сегодня я оплачу счет.

Вот ведь, ей-богу, обо всем на свете у нее есть свое мнение, с досадой подумал Пауло, хотя на самом деле ему нравилось, как Карла на каждом шагу отстаивает свою независимость.

По дороге в агентство он спросил, неужели она в самом деле рассчитывает добраться до Непала, в такую даль по билету, который стоит так дешево.

— Несколько месяцев назад я тоже сомневалась в этом, хоть и видела объявление об автобусных маршрутах в Индию, Непал, Афганистан — и каждая поездка стоит от семидесяти до ста долларов. А потом в альтернативном журнальчике «Арк» прочла чей-то очерк о таком путешествии и захотела попробовать сама.

Она не сказала, что намеревалась добраться только туда — а обратно лишь по прошествии многих лет. Пауло вряд ли понравилась бы перспектива ехать назад одному через тысячи километров, отделявшие его от цели.

Однако ему придется к этому приспособиться. Жить — значит приспосабливаться.

Знаменитый «Мэджик Бас» ничем не походил на те автобусы с рекламных плакатов, висевших в агентстве — ярко раскрашенные, разрисованные и исписанные лозунгами. И волшебного в нем ничего не было — это был самый обычный школьный автобус: сиденья у него не откидывались, а сзади имелось небольшое возвышение, где лежали запасные покрышки и канистры с бензином.

В группе было, наверно, человек двадцать: все они казались персонажами одного фильма, хотя сильно различались по возрасту — от удравших из дому малолеток (под это описание подходили две девушки, и никто не спросил у них никаких документов) до почтенного джентльмена, который неотрывно смотрел куда-то вдаль и всем своим видом показывал, что достиг уже столь желанной степени просветления и теперь решил совершить поездку. Длинную поездку.

Водителей было двое: один говорил с английским акцентом, второй, надо полагать, был индус.

— Я сам терпеть не могу правила, однако же кое-каким нам приходится подчиняться. Первое: как пересечем границу, ни у кого не должно быть наркотиков. В одних странах за это сажают в тюрьму, а в других — африканских, например — могут голову отрубить. Надеюсь, все уразумели сказанное.

Он помолчал и оглядел пассажиров, чтобы убедиться в этом. А они разом встрепенулись.

— В багажнике везем запасы воды и армейские продовольственные пайки. Каждый содержит консервированное мясо, хлеб, плитку шоколада с орехами или карамелью, батончик из злаков с сухофруктами, концентрат апельсинового сока, соль, сахар. Приготовьтесь — после Турции почти всю дорогу будем питаться всухомятку.

Транзитные визы будем получать на границе. Придется платить, но не очень много. Кое-где — вот в Болгарии, например, где коммунистический режим — запрещено выходить из автобуса. Останавливаться тоже нельзя — имейте это в виду и постарайтесь заранее сходить по нужде.

Он взглянул на часы:

— Пора отправляться. Вещи берите с собой, в салон. Надеюсь, вы озаботились спальными мешками. Ночевать будем на заправочных станциях, но чаще — в поле, у обочины автострады. Там, где ни то, ни другое невозможно — в Турции, например, на пути в Стамбул — я знаю несколько дешевых отелей.

— А разве нельзя загрузить наши рюкзаки на крышу автобуса? Тогда места будет больше — хоть ноги вытянем.

— Можно, конечно. Но только не удивляйтесь, если не обнаружите их, когда остановимся перекусить. Внутри, в глубине, имеется багажный отсек. Один билет — одно место багажа, как написано в буклете, который вы получили вместе с картой. А питьевая вода в стоимость проезда не включена, так что надеюсь, каждый запасся собственной бутылкой. Наполнять их можно будет на заправочных станциях.

— А если что-нибудь случится?

— Что, например?

— Ну, если кто-нибудь заболеет?

— У меня есть аптечка с набором средств первой помощи. Но это именно — ПЕРВАЯ ПОМОЩЬ. Достаточно, чтобы довезти больного до ближайшего города и оставить там. А потому — будьте осторожны, очень осторожны, заботьтесь о плоти так же, как вы, по вашему мнению, бережете душу. Надеюсь, все сделали прививки от оспы и желтой лихорадки.

От второй Пауло был привит — ни один бразилец не мог выехать из страны без нее, почему-то за границей думали, что все бразильцы поголовно заражены всеми видами болезней. А против оспы — нет: в Бразилии было принято считать, что перенесенная в детстве корь служит достаточным иммунитетом.

Так или иначе, водитель не стал проверять свидетельства. Путешественники погрузились в автобус и принялись выбирать себе места. Многие сложили рюкзаки на задних креслах, но водитель тут же перенес вещи вперед, пояснив:

— Нельзя думать только себе — по пути будут подсаживаться люди!

Хиппи

Малолетки, обладательницы, вероятно, фальшивых паспортов сели вместе. Пауло с Карлой заняли соседние кресла и тут же заспорили, кому смотреть в окно. Карла предложила, что каждые три часа они будут меняться, а ночью она сядет у окна, чтобы нормально выспаться. Пауло счел это предложение нечестным и несправедливым, потому что там можно склонить голову к стеклу. Договорились, что ночами они будут занимать это место по очереди.

Наконец бывший школьный автобус, ныне превратившийся — хотя бы по названию — в нечто романтическое, тронулся и начал тысячекилометровое путешествие на край света.

— Послушав нашего водителя, я стал думать, что отправляюсь не на поиски приключений, а отбывать обязательную воинскую повинность, — сказал Пауло, припомнив обет, который дал, когда на автобусе проехал через Анды, и о том, как часто этот обет нарушал.

Его реплика взбесила Карлу, но нельзя же было через пять минут ссориться или искать себе другое место. Она просто вытащила из сумки книгу и погрузилась в чтение.

— А ты-то рада, что едешь, куда так хотела попасть? Похоже, этот хмырь из агентства нам наврал — смотри, сколько свободных мест.

— Ничего он не наврал! Шофер же сказал, что по дороге будут подсаживаться. И я, к твоему сведению, не просто еду куда-то — я возвращаюсь!

Пауло не очень понял ее ответ, а Карла не стала объяснять, и он решил оставить ее в покое, сосредоточившись на бескрайней равнине вокруг, во всех направлениях перерезанной каналами.

Почему Бог сотворил мир, а голландцы — Голландию? Разве мало на Земле мест, которые жаждут стать обитаемыми?

Часа через два они подружились или, по крайней мере, перезнакомились со всеми — потому что несколько улыбчивых и симпатичных австралийцев к дружеским беседам оказались не склонны. Карла делала вид, будто читает книгу, название которой уже забыла, но думала она наверняка только о конечной точке их путешествия, о Гималаях, до которых оставалось проехать еще тысячи километров. Пауло по себе знал ту болезненную тревогу, возникающую от таких мыслей, но молчал — покуда Карла не срывала свое дурное настроение на нем, его все устраивало. А начнет срывать — он пересядет. Позади сидели французы — отец с дочерью, нервной и восторженной. Через проход — чета ирландцев: парень с ходу представился и немедленно сообщил, что уже однажды совершил подобное путешествие, и теперь везет туда возлюбленную, потому что в Катманду, — если, конечно, мы сумеем туда доехать, — следует остаться года на два, самое малое. Сам он вернулся из-за работы, но теперь все бросил, выручил хорошие деньги за свою коллекцию миниатюрных машинок (выходит, на игрушечных автомобильчиках можно заработать?), освободил квартиру, принудил свою подружку ехать с ним и теперь улыбался от уха до уха.

Карла, услышав про «остаться года на два», перестала притворяться, что читает, и спросила, что там такого особенного.

Райан — так звали ирландца — объяснил, что в Непале теряешь представление о времени, чувствуешь, будто вошел в параллельную реальность, где возможно все. Мирта, его спутница, не особенно приветливая, но и не очень угрюмая, совершенно явно не считала, что Непал — это место, где они должны провести несколько ближайших лет.

Но любовь, судя по всему, пересиливала.

— Что значит «параллельная реальность»?

— Такое состояние души и тела, когда ты чувствуешь, что счастлив и сердце твое полно любовью. Внезапно все, из чего складывается твое повседневное бытие, обретает иной смысл: цвета становятся ярче, то, что прежде доставляло неудобства или огорчения — холод, дождь, одиночество, учение, работа — кажется новым. Ибо в какую-то долю секунды ты входишь в самое средоточие Вселенной и наслаждаешься нектаром богов.

Ирландец был доволен, что сумел изъяснить словами то, что ему когда-то удалось лишь прочувствовать. Мирте как будто не очень нравилась его беседа с красивой голландкой, и она тоже входила в параллельную реальность — но только совсем другую, ту, в которой все с каждой минутой становится все более уродливым и гнетуще-тяжким.

— Есть у этого иная сторона, и тогда мелкие детали нашего заурядного и привычного существования перерастают в огромные, но на самом деле несуществующие проблемы, — продолжал Райан, словно угадав, в каком состоянии духа находится его подруга. — Параллельная реальность — не одна, их множество. Мы сидим в этом автобусе, потому таков был наш выбор. Впереди у нас тысячи километров пути и мы вправе выбирать, как двигаться — в поисках ли мечты, прежде казавшейся несбыточной, или в сетованиях на неудобные кресла и докучных попутчиков. Как мы представим это сейчас, так и будет до конца нашей поездки.

Мирта сделала вид, что не поняла, на что он намекает.

Хиппи

— Когда я впервые побывал в Непале, мне казалось, что у меня не расторгнуто какое-то соглашение с Ирландией. Некий голос твердил мне неустанно: «Проживи до конца каждую секунду, используй ее до предела, потому что скоро вернешься домой, не забывай фотографировать, чтобы показать друзьям, как бесстрашен ты был и отважен, как испытал и прожил то, что хотелось бы испытать и прожить им, да не хватило мужества.

Но вот однажды я вместе с другими отправился в пещеру в Гималаях. К нашему удивлению, на голой скале, где ничего не могло расти, мы заметили маленький, в полпальца длиной, цветок. Мы сочли это чудом, знамением и решили, взявшись за руки, спеть в его честь мантру. И через несколько секунд своды пещеры стали вибрировать, и мы перестали мерзнуть, и казавшиеся такими далекими вершины гор вдруг приблизились. А почему произошло это? — Потому что люди, прежде жившие там, оставили почти ощутимый любовный трепет, способный воздействовать на все, что попадает туда, будь то одушевленное существо или предмет. Подобно тому, как семя этого цветка, занесенное туда ветром, проросло, желание — неимоверное желание всех нас сделать мир лучше и совершенней — обрело форму и влияет на все вокруг.

Мирта, вероятно, слышала все это уже много раз, но Пауло и Карлу его рассказ завораживал.

— Не знаю, сколько это длилось, но когда мы вернулись в монастырь, где нашли приют, и рассказали о том, что было, один монах поведал нам, что там, в этой пещере, несколько десятилетий жил человек, почитаемый всеми как святой. Еще говорили, что мир сильно изменился и все, абсолютно все страсти будут теперь крепче и насыщенней. Ненависть — разрушительней, а лик любви засияет с небывалой яркостью.

Их разговор прервал водитель, сообщивший, что по времени они должны сейчас двигаться на Люксембург и там переночевать, но, как ему кажется, в Великое герцогство никто не едет, а потому он останавливаться не станет, а ночевку устроит в чистом поле, в окрестностях города Дортмунда.

— Вскоре сделаю остановку, чтобы вы могли подкрепиться, и позвоню в агентство, предупрежу, что следующие пассажиры могут сесть раньше срока. Если в Люксембурге никто не выходит, мы сэкономим драгоценные километры.

Сообщение встретили рукоплесканиями. Мирта и Райан собирались уже вернуться на свои места, но Карла остановила их:

— А вы не можете попасть в параллельную реальность, просто медитируя и вверяя сердце Божеству?

— Могу. И делаю это ежедневно. Но и каждый день думаю о той пещере. О Гималаях. О монахах. И считаю, что уже отбыл свой срок в том, что принято называть «западной цивилизацией». Сейчас я — в поисках новой жизни. Кроме того, поскольку мир в самом деле меняется, эмоции — и позитивные, и негативные — проявляются ярче и очевидней, а я — вернее, мы — не готовы встретиться с темной стороной жизни, той скверной, что имеется в ней.

— В этом и нет необходимости, — впервые за время разговора подала голос Мирта, демонстрируя на практике, что в считанные минуты сумела перебороть отраву ревности.

Пауло в известном смысле знал, каково это. И ему приходилось испытывать нечто подобное — чаще всего, когда должен был делать выбор между местью и любовью, он избирал любовь. Не всегда этот выбор был верен, порой его можно было счесть трусостью, порой он и сам чувствовал, что им движет в большей степени страх, нежели искреннее желание улучшить мир. Он был человеком с полным набором присущих человеку слабостей и не всегда сознавал все, что происходило в его жизни, но очень хотел верить, что ищет свет.

Впервые с той минуты, как он сел в этот автобус, ему стало ясно, что все было предначертано свыше — совершить это странствие, узнать этих людей, совершить то, к чему он всегда призывал, но на что ему не всегда хватало отваги: безоглядно ввериться Вселенной.

Мало-помалу пассажиры стали сбиваться в стайки, руководствуясь иногда общностью языка, а иногда внеязыковыми играми — например, сексуальным интересом. Исключение составляли только две девушки — несовершеннолетние, без сомнения — которые старались держаться в сторонке ото всех именно потому, что считали себя центром всеобщего внимания, хотя это было вовсе не так. И первые пять дней пути пролетели быстро и незаметно — люди знакомились и обменивались опытом. Однообразие никого не тяготило, хотя раз и навсегда установившийся порядок нарушался только остановками у бензоколонок, где автобус заправляли горючим, а пассажиры могли запастись водой или прохладительным, купить себе один-два сэндвича или сходить в туалет. Все остальное время занимали разговоры, разговоры, разговоры.

Хиппи

И все ночевали под открытым небом и, как правило, ужасно мерзли, но все равно были счастливы, что могут смотреть на звезды и разговаривать с безмолвием, спать в обществе почти видимых ангелов, на какое-то время — пусть даже на долю секунды — отрешаться от своего бытия, чтобы ощутить вокруг себя вечность и бесконечность.

Пауло и Карла подружились с Райаном и Миртой — вернее, Мирта присоединилась к ним безо всякой охоты, потому что уже много раз слышала истории о параллельных реальностях. Так что ее присутствие сводилось лишь к неусыпному наблюдению над спутником ради того, чтобы не пришлось вернуться с полдороги по той простой причине, что она не сумела сохранить его интерес к себе после почти двух лет, проведенных вместе.

Пауло тоже отметил внимание ирландца, который при первом же удобном случае спросил у Карлы, в каких они отношениях, и получил ответ:

— Ни в каких.

— Просто друзья?

— Даже и этого нет. Всего лишь попутчики.

А разве это было не так? И он решил принимать все как есть и отставить в сторону неуместный романтизм. Они с Карлой — как два моряка, плывущие в какую-нибудь страну: они делят каюту, но у каждого — своя койка, у одного — верхняя, у другого — нижняя.

Чем больше интереса проявлял Райан к Карле, тем неуверенней чувствовала себя и сильнее ярилась Мирта — никак, разумеется, не обнаруживая своих чувств, ибо это служило бы безобманным признаком ее зависимости и подчиненного положения — и потому она все чаще садилась рядом с Пауло, разговаривала с ним и порой даже склоняла голову ему на плечо, покуда Райан выкладывал все, что узнал в Катманду.

— Какое чудо!

Но через шесть дней пути вступила в свои права скука, и все вокруг заполонило монотонное однообразие. Теперь, когда никто не мог рассказать ничего нового, стало казаться, что путешественники только и делают, что едят, спят, пытаются поудобней устроиться в кресле, то закрывают, то открывают окна, спасаясь от табачного дыма, томятся от собственных рассказов и от чужих разговоров, неизменно приправленных злословием — словом, ведут себя так, как все люди, когда сбиваются в стадо, пусть даже такое немногочисленное и исполненное самых благих намерений, как это.

Так продолжалось, пока не появились горы. И долина. И река, стремительно несшаяся по отрогам. Кто-то спросил, где проезжаем, и водитель-индус ответил, что въехали на территорию Австрии.

— Скоро спустимся и остановимся у реки, что течет посередине страны — там все смогут выкупаться. Нет ничего лучше ледяной воды, чтобы убедить людей, что в жилах у них течет кровь, а в голове есть мысли, которые можно оттуда выбросить.

Все очень оживились от предвкушения купания нагишом, полнейшей свободы, слияния с природой.

Автобус въехал на каменистую узкую дорогу, переваливаясь с борта на борт и грозя вот-вот перевернуться, и многие пассажиры закричали от страха, но водитель только посмеивался. Наконец добрались до берега ручья, а вернее — рукава реки, которая здесь делала небольшой изгиб, текла плавно и спокойно, а потом вновь делалась стремительной и бурной.

— У вас полчаса. Успеете устроить постирушку.

Пассажиры кинулись к своим рюкзакам: в багаже каждого хиппи, неизменно останавливавшегося не в отеле, а где придется, имелись маленькое полотенце, зубная щетка, кусочек мыла.

— Как забавно, что про нас рассказывают, будто мы никогда не моемся. А меж тем мы чистоплотней тех буржуа, которые нас поносят.

Поносят? Да кому есть дело до этого? Обращать внимание на хулу — значит, уже давать преимущество хулителю. В того, кто отпустил это замечание, метнули несколько яростных взглядов — хиппи не обращают ни малейшего внимания на то, что говорят про них, пусть это и не вполне правда — в самом деле хиппи любят привлекать к себе внимание одеждой, и прической, и особой, броской чувственностью, сквозящей в каждом движении их девушек, которые так любят цветастые, низко вырезанные блузы, щедро обнажающие не стянутые лифчиками груди. И длинные юбки — ибо это женственно и изящно, как решил синклит стилистов, чьи имена мы никогда не узнаем. Но эта чувственность — вовсе не способ привлечь внимание мужчин, это гордость за свое тело и желание сделать так, чтобы его красота была заметна всем вокруг.

Те, у кого полотенца не нашлось, достали футболки, майки рубашки, свитера — словом, все, чем можно вытереться. Потом вылезли из автобуса и по пути на берег на ходу раздевались — все, за исключением двух девиц: они сняли верхнюю одежду, но оставили лифчики и трусики.

Дул довольно сильный ветер, а шофер сказал, что место здесь сухое и возвышенное, так что все обсохнут очень быстро.

— Потому я и решил остановиться здесь.

Никто из проезжавших наверху по шоссе не мог видеть, что тут происходит. Горы загораживали еще невысоко поднявшееся солнце, но красота — скалы с двух сторон, вцепившиеся в них сосны, отполированные столетиями камни — была такая, что все первым делом, не раздумывая, бросились в воду и принялись с криками плескаться, и все группы вдруг перемешались в этот миг единения, словно провозглашая: «Вот потому мы и странствуем, что принадлежим к миру, который не хочет замереть и остановиться».

Если хоть час провести в безмолвии, подумал Пауло, мы начнем слышать Бога. Но когда мы вопим от радости, Он слышит нас и приходит благословить.

Оба водителя, которые бессчетное количество раз видели молодых людей, без малейшего смущения демонстрировавших свою наготу, оставили купальщиков и вернулись к автобусу проверить уровень масла и давление в шинах.

Пауло, впервые увидевшему Карлу без одежды, трудно было совладать с нахлынувшей ревностью. Грудь ее была не велика и не мала, и вся она была похожа на ту фотомодель, что позировала на площади Дам — но только несравненно, несопоставимо прекрасней.

Но настоящей царицей оказалась Мирта — длинноногая, безупречно сложенная, она была похожа на богиню, спустившуюся в эту долину посреди австрийских Альп. Заметив, что Пауло любуется ею, она улыбнулась ему, и он ответил на улыбку, хоть и знал, что все это — не более чем игра, призванная вызвать ревность Райана и отвлечь его от голландского искушения. Но, как всем известно, игра с подспудной целью может превратиться в реальность — и Пауло минуту помечтал об этом, а потом решил уделять побольше внимания этой женщине, которая по собственной инициативе подходила к нему с каждым днем все ближе.

Путешественники выстирали одежду. Две скучные девицы, словно не замечая, что вокруг — группа в двадцать с лишним голых человек, вдруг нашли интереснейшую тему для беседы. Пауло выполоскал и выжал рубашку и трусы, хотел было выстирать свои неизменные джинсы, но решил отложить это до другого раза: джинсы годились для всего, но имели один недостаток — медленно сохли.

Он заметил на вершине горы нечто похожее на маленькую часовенку и оставленные в зелени следы талых вод, стекавших весной. Сейчас их временные русла пересохли.

Хиппи

Все прочее являло собой абсолютный хаос мироздания — нагромождение камней, стоявших вне всякой системы, порядка и гармонии, что и придавало им особенную красоту. Не было даже малейших попыток хоть как-то организоваться или приспособиться так, чтобы можно было противостоять непрестанному натиску природы. Может быть, всему этому было много миллионов лет, а, может быть, две недели. Дорожные знаки призывали водителей быть внимательней — возможны камнепады и оползни, а это значило, что горы еще растут, еще строятся, что они живые, а камни, уподобляясь людям, ищут друг друга.

Этот хаос был прекрасен, как источник жизни: Пауло именно так представлял себе Вселенную — ту, что окружала его, и ту, что жила у него в душе. Эту красоту породили не сравнения, не оценки, не желания, а лишь способ прожить свой долгий век, обратившись в камни и сосны, которые грозят вот-вот сорваться со скалы, но тем не менее остаются здесь уже многие годы, ибо знают, что они — желанны камням, что радуют их глаз, что им приятно быть рядом друг с другом.

— Там, наверху — не то церквушка, не то скит, — сказал кто-то.

Да, все уже давно заметили это, но каждый думал, что это лишь его открытие, и лишь теперь понял свою ошибку и молча спрашивал себя, бывает ли там кто-нибудь или часовенку забросили много лет назад, и почему она белая, если кругом лишь черные камни, и как удалось возвести ее на такой высоте.

И так вот, глядя на сосны и скалы, пытаясь увидеть пики подступающих с обеих сторон гор, стояли они в чистой выстиранной одежде, снова и снова, в очередной раз понимая, что купание способно излечить многие страдания, так упорно гнездящиеся в голове.

Стояли до тех пор, пока гудок автобуса не позвал их в путь, про который они забыли, засмотревшись на красоту.

Судя по всему, Карле не давала покоя какая-то мысль.

— Но объясни, как ты понял это... смысл параллельных реальностей? Потому что одно дело — испытать озарение и присутствие божества в пещере, и совсем другое — вернуться на это место за тысячи километров. Не может быть духовного опыта лишь в одном месте — Бог повсюду, в любом углу.

— Да, Бог — в любом углу. Я всегда чувствую его близость, когда шагаю по равнинам Доорадойла — так называется место, где моя семья живет уже несколько столетий — или приезжаю в Лимерик посмотреть на море.

Они сидели в придорожном ресторанчике почти на самой границе с Югославией, где родилась и выросла самая большая любовь Пауло. До сих пор ни у кого, — даже у него, — не было проблем с визами. Но теперь им предстоял въезд в коммунистическую страну, и Пауло беспокоился, хотя водитель сказал, что все будет хорошо: Югославия, в отличие от Болгарии, находится по эту сторону «железного занавеса». Мирта заняла место рядом с Пауло, и обе пары поддерживали вид «как ни в чем не бывало», хотя было очевидно, что назревают какие-то перемены. Мирта уже сказала, что надолго в Непале не останется. Карла же обмолвилась как-то, что возвращаться оттуда не собирается.

— Живя в Доорадойле, где вы непременно должны побывать, хоть там и льют дожди почти постоянно, я думал, что мне суждено провести в этом городе всю жизнь и уподобиться моим родителям, которые даже ни разу не бывали в Дублине, не полюбопытствовали, на что похожа столица их страны, или деду с бабкой, которые никогда не видели моря, прожили свой век в деревне и считали, что Лимерик — «слишком большой город». Много лет кряду я делал все, о чем они просили — учился в школе, работал в мини-маркете, играл в регби за городскую команду, хоть она никогда так и не смогла пробиться в высшую лигу, ходил в церковь, потому что это часть культуры моей страны, ее самобытность и отличие от Северной Ирландии.

И я привык ко всему этому, и на уик-энды уезжал к морю, пил пиво, хоть и был несовершеннолетним, но знакомый хозяин паба наливал мне, и совершенно не роптал на судьбу. В конце концов, что плохого в том, чтобы вести размеренную тихую жизнь, видеть вокруг дома, построенные, наверно, одним и тем же архитектором, встречаться время от времени с девушкой, ездить с ней на природу, открыть тайну секса и оргазма — пусть это все было не по-настоящему, потому что я боялся лишить ее невинности и потому что за это грозила кара от родителей или от Бога.

В приключенческих романах герои всегда следуют своей мечте, попадают в невероятные места, преодолевают немыслимые трудности, чтобы в конце концов вернуться с победой и рассказывать о своих подвигах на рынках, со сцены, с экрана — словом, всюду, где найдутся слушатели. Мы читали эти книги и мечтали о такой же судьбе: я тоже покорю мир, разбогатею, совершу подвиги и героем вернусь домой, и все будут уважать меня и мне завидовать. Женщины будут улыбаться мне при встрече, мужчины — снимать шляпы и просить, чтобы я в тысячный раз рассказал, как вел себя в таких-то и таких-то обстоятельствах, как удалось мне использовать единственный в жизни шанс и обратить его в миллионы долларов. Но такое бывает только в романах.

Второй водитель — индус или, может быть, араб — подсел за их столик. Райан меж тем продолжал свой рассказ:

— Отслужил в армии, как большинство парней в нашем городке. Тебе сколько лет, Пауло?

— Двадцать три. Но я не служил — отец выхлопотал мне отсрочку от призыва, которая называется «ограниченно годен в военное время». А Бразилия, кажется, уж лет двести ни с кем не воевала, так что это время я смог потратить на путешествия.

— А я вот служил, — вмешался шофер. — Едва лишь мы получили независимость, как ведем нескончаемую войну с соседом. Все по вине англичан.

— Все из-за них, — согласился Райан. — Они и сейчас еще оккупируют север моей страны, а в прошлом году, как раз когда я вернулся из рая под названием Непал, положение там обострилось. Ирландия сейчас на грани войны из-за столкновений между католиками и протестантами. Англия посылает туда войска...

— Ну, дальше, дальше, — прервала его Карла. — Как же ты в конце концов отправился в Непал?

— Подпал под дурное влияние, — засмеялась Мирта. Райан подхватил ее смех:

— Она права. Мое поколение выросло, и одноклассники начали массово эмигрировать в Америку, где огромная ирландская диаспора, так что у каждого из нас там хотя бы один дядюшка, или друг, или целая семья.

— Скажешь, тоже англичане виноваты?

— А то нет! — снова вмешалась Мирта. — Они дважды пытались уморить наш народ голодом. Во второй раз — в XIX веке, когда они заразили какой-то пакостью картофель — основную нашу еду — и население стало вымирать. Голод — голод, только представьте себе! — выкосил восьмую часть жителей, а двум миллионам пришлось эмигрировать, чтобы спастись от голодной смерти. Слава богу, что Америка приняла нас с распростертыми объятиями.

И эта девушка, так похожая на божество с другой планеты, стала рассказывать о двух эпидемиях голода. Пауло не знал об этом ничего, как и о тысячах погибших, о полном отсутствии помощи и поддержки и о борьбе за независимость.

— Я окончила исторический, — сказала она.

Карла попыталась было вернуть беседу к интересующей ее теме — Непал и параллельная реальность — но Мирта не дала себя сбить, покуда не прочла лекцию о пережитых Ирландией страданиях, о сотнях тысяч умерших с голоду, о том, как были подавлены две попытки восстания, а руководители их — расстреляны, и о том, наконец, как некий американец — да-да, представьте себе! — наконец добился заключения мирного договора и прекращения этой бесконечной войны.

— Но прежнее не повторится! Не повторится никогда! НИКОГДА! Наше сопротивление стало иным. У нас теперь есть ИРА, и мы поведем войну на территории врага — мы будем расстреливать их и взрывать бомбы и пойдем на все. Рано или поздно, как только англичане найдут благовидный предлог, они уберутся с нашей земли. И грязный британский сапог перестанет топтать прекрасную Ирландию, — и добавила, обратившись к индусу. — Вот как было в вашей стране.

Индус — его звали Рагул — начал было рассказывать, как было дело у него в стране, но Карла решительно и властно остановила его:

— Может, все-таки дадим Райану дорассказать его историю?

— Так вот, Мирта права: я и в самом деле впервые поехал в Катманду, попав под «дурное влияние». Еще в армии захаживал в один паб в Лимерике, неподалеку от нашей казармы. Там всегда стоял дым коромыслом — метали дротики, играли на бильярде, состязались в армреслинге — и каждый хотел показать другому, какой он крутой и всегда готов ответить на любой вызов. Один из завсегдатаев — азиат, который неизменно хранил молчание, пил не больше двух-трех кружек черного пива «Гиннес» — нашего национального достояния — и уходил еще до того, как хозяин ударом колокола оповещал, что скоро одиннадцать и пора закрывать заведения.

— Это нам тоже англичане навязали.

И в самом деле, традиция закрывать пивные в одиннадцать вечера появилась во время войны, чтобы пьяные летчики не вылетали бомбить Германию, а недисциплинированные солдаты не позорили армию.

— И вот в один прекрасный день, когда мне до смерти надоело слушать одно и то же о том, как все собираются отваливать в Америку, я спросил разрешения у этого азиата и пересел к нему за столик. Просидели мы так не больше получаса — судя по всему, по-английски он говорил плохо, а мучить его я не хотел. Но прежде чем уйти, он произнес слова, гвоздем засевшие у меня в башке: «Сам ты здесь, но душа твоя — в другом краю: на моей родине. Отправляйся же навстречу своей душе».

Я кивнул, соглашаясь, поднял стакан, приветствуя его, но в подробности входить не стал, ибо мое строгое католическое воспитание не позволяло представить ничего иного, кроме души, заключенной в теле в ожидании посмертной встречи с Христом. Я подумал, что на Востоке навыдумывали чего-то.

— Да, мы выдумываем, — сказал индус.

Райан понял, что тот обиделся, и решил предаться самобичеванию:

— Ну, а мы разве нет? Мы верим, будто плоть Христова заключена в хлебе. Чем это лучше? Не принимайте мои слова близко к сердцу.

Индус сделал жест, означавший «да все это неважно», и Райан смог наконец завершить свой рассказ — вернее, часть его, поскольку в самом скором времени вмешается энергия зла.

— И вот я уж совсем было собрался вернуться в родной городок и заняться делом, то есть молочной лавкой моего отца, меж тем как все мои друзья уже пересекли Атлантику и увидели статую Свободы, радушно встречающую их. Но слова азиата не давали мне покоя. Потому что, по правде говоря, чем больше я уговаривал себя, что все идет хорошо, что когда-нибудь женюсь на хорошей девушке и обзаведусь детишками, и мы уедем куда-нибудь из этого дымного и грубого места, хоть и не знал ничего, кроме Лимерика и Доорадойла. И никогда не было мне любопытно остановиться на дороге и побывать в других деревнях — городках, точнее говоря — расположенных между ними.

И считал, что вполне достаточно — и к тому же безопасней и дешевле — путешествовать в книгах и фильмах, и был уверен, что на всей планете не найдешь полей и долин красивей тех, что простирались вокруг. Тем не менее назавтра я опять пришел в паб, подсел к азиату и, хотя знал, что иные вопросы задавать небезопасно, потому что они могут повлечь за собой ответы, все же спросил, где находится край, о котором он говорил.

В Непале, сказал он.

Любой школьник знает, что есть на свете страна «Непал», но он уже забыл (хоть и выучил когда-то) название ее столицы, и в памяти осталось только, что это ужасно далеко. То ли в Южной Америке, то ли в Австралии, то ли в Африке или в Азии, но совершенно точно — не в Европе, иначе бы я прочел о ней книгу, или посмотрел бы кино, или познакомился с кем-нибудь оттуда.

Я спросил, что значила его вчерашняя реплика. «Какая именно?» — уточнил он. Я повторил его слова, и он долго молчал, уставившись в свой стакан «гиннеса», и наконец произнес: «Если я в самом деле сказал это, тебе надо ехать в Непал». — «А как я туда попаду?» — «Так же, как я приехал сюда: на автобусе».

И с этими словами ушел. А когда на следующий день я опять хотел подсесть к нему и выяснить все же, что за душа ожидает меня вдалеке, он сказал, что сегодня хочет побыть один, как, впрочем, и всегда.

Ну, тут я подумал, что если туда ходят автобусы и мне удастся найти себе компаньона, то, может быть, и попаду в эту страну.

Вот тогда я и повстречал Мирту. Дело было в Лимерике, на том самом месте, где я любил сидеть и смотреть на море. Я подумал сначала, что едва ли ей будет интересен деревенский парень, которого ждет не дублинский Тринити-колледж, где училась она сама, а молочная лавка О'Коннела в Доорадойле. Однако мы мгновенно нашли общий язык, и как-то в разговоре я упомянул о странном незнакомце из Непала и о его загадочных словах. Вскоре мне предстояло окончательно вернуться домой, а это все — Мирта, паб, ребята-однопол-чане — станут просто вехой на пройденном пути. Однако Мирта удивляла меня нежностью, умом и — к чему скрывать? — своей красотой. Она считала, что я достоин общаться с ней, и это окрыляло меня, придавало уверенности в себе.

В один из уик-эндов, незадолго до окончания моей службы, она повезла меня в Дублин. И я увидел город, где жил автор «Дракулы», и прошел мимо Тринити-колледжа — я даже представить не мог, что он такой здоровенный. В каком-то пабе неподалеку от университета мы с Миртой пили до закрытия, и я рассматривал висящие по стенам фотографии тех, кто прославил нашу страну — Джеймса Джойса, Оскара Уайльда, Джонатана Свифта, Уильяма Йейтса, Сэмюэла Бекетта, Бернарда Шоу. А в конце нашего разговора она протянула мне листок бумаги, где было написано, как добраться до Катманду — каждые две недели туда отправлялся автобус от станций метро Тоттеридж и Уэтстоун.

Я решил, что надоел ей, и она просто шлет меня подальше, и взял листок, не имея ни малейшего намерения ехать в Лондон.

Послышался приближающийся рев мотоциклов — судя по звуку, они шли на предельной скорости. Сколько их, разглядеть было невозможно, но этот агрессивный рев казался удивительно неуместным. Администратор предупредил, что ресторан скоро закрывается, однако никто из сидящих за столиками даже не шевельнулся.

Райан тоже сделал вид, что не слышит, и продолжил свой рассказ:

— Мирта несказанно удивила меня, сказав: «Если не считать время, которое ты проведешь в пути — не буду сейчас об этом, чтобы не обескураживать, — я хочу, чтобы ты пробыл там ровно две недели и вернулся. Я буду тебя ждать. Но если ты не появишься к сроку, который я определила, — никогда больше меня не увидишь».

Мирта рассмеялась. На самом деле она сказала не так, а скорее что-то вроде «Ты найдешь там свою душу, как я нашла свою». Ни в тот день, ни сейчас не произнесла она: «Моя душа — это ты. Я буду молиться каждый вечер, чтобы ты целым и невредимым вернулся домой, чтобы мы встретились и никогда больше не расставались, ибо ты достоин меня, а я достойна тебя».

— Она будет меня ждать? Меня, будущего хозяина молочной лавки О'Коннелов? Зачем я ей нужен — неотесанный, ничего не видевший в жизни паренек? Почему так важно последовать совету неизвестного человека, случайно повстречавшегося мне в пабе?

Однако Мирта знала, что делала. Потому что в тот миг, как я сел в этот автобус, прочитав предварительно все, что сумел найти про Непал, и наврав родителям, что из-за плохого поведения мне продлили срок службы и посылают на удаленную базу, в Гималаи, — я стал другим человеком. Уезжал пентюхом, вернулся человеком. Мирта дождалась меня, мы стали жить у нее и с тех пор никогда не разлучались.

— В том-то и сложность, — сказала она, и все за столом поняли, что она говорит искренне. — Разумеется, я не хотела, чтобы рядом со мной был деревенский дурачок, но не ждала того, кто скажет мне: «Теперь твой черед вернуться туда вместе со мной».

И добавила, засмеявшись:

— И — что еще хуже — я на это соглашусь!

Пауло и без того был очень смущен близким соседством Мирты, которая то прикасалась к его колену своим, то поглаживала его руку. Карла тоже теперь смотрела на Райана по-другому, будто решив для себя, что это не тот человек, который ей нужен.

— Ну что — поговорим наконец о параллельной реальности?

Но в этот миг в ресторан вошли пятеро — все были одеты в черное, с бритыми головами, с цепями вокруг пояса, с татуировками в виде стрел и мечей. Они направились прямо к столу, где сидели путешественники, и молча окружили его.

— Вот ваш счет, — сказал администратор.

— Но мы еще не доели, — возразил Райан. — И не просили счет.

— Я попросил, — сказал один из вошедших.

Индус приподнялся было со стула, но его толчком вернули на место.

— Прежде чем уйдете. Адольф хочет гарантий того, что больше тут не появитесь. Мы тут не любим бродяг. Наш народ чтит закон и порядок. Порядок и закон. Чужестранцы нам не нужны. Валите к себе со своей наркотой и развратом.

Чужестранцы? Наркота? Разврат?

— Мы уйдем, когда окончим обед.

Пауло разозлился на Карлу — зачем она их провоцирует? Он понимал, что вокруг стоят люди, в самом деле люто ненавидящие все, что они олицетворяют. Свисающие с пояса толстые цепочки, мотоциклетные перчатки с металлическими шипастыми накладками, совсем непохожие на те, какие он купил себе в Амстердаме. Такие предназначены для того, чтобы, обтянув ими кулаки, пугать, крушить, калечить.

Райан повернулся к морщинистому человеку, который был старше остальных и годами, и по положению и не проронил пока ни слова.

— Мы с тобой — из разных племен, но племена наши сражаются за одно дело. Мы окончим обед и уйдем. Мы вам не враги.

У главаря, судя по всему, были какие-то проблемы с голосом, — прежде чем заговорить, ему пришлось приложить к горлу усилитель.

— Мы вообще не из племени, — прозвучал неживой металлический голос. — Убирайтесь сейчас же.

Повисла пауза, показавшаяся всем бесконечной: женщины смотрели незнакомцам в глаза, мужчины оценивали свои возможности, а бритоголовые молча ждали. Но вот один обернулся к хозяину заведения и крикнул:

— Когда уйдут, стулья после них дезинфицируй! Может, они занесли к нам какую-нибудь заразу... Пакость венерическую или еще чего, кто их знает...

Прочие посетители ресторана не обращали никакого внимания на эту сцену. Не исключено, что кто-то из них и вызвал этих молодчиков в коже, восприняв как личное оскорбление уже тот факт, что в мире есть свободные люди.

— Валите отсюда поживей, мрази трусливые, — сказал парень с вышитым на спине кожаной куртки черепом. — Все прямо-прямо, никуда не сворачивая, и через километр попадете к коммунистам, которые вас встретят как родных. А у нас вам делать нечего — и нечего растлевать наших сестер и гадить в наших семейных очагах. Мы исповедуем христианские ценности, выбираем себе правительство, пресекающее беспорядок, и уважаем других. Подожмите хвост — и проваливайте.

Райан побагровел. Индус сохранял бесстрастие — может быть, потому, что наблюдал такое уже не впервые, а может, и потому, что Кришна учит — оказавшись на поле битвы, не уклоняйся от схватки. Карла разглядывала бритоголовых парней и особенно внимательно — того, кому ответила, что они еще не доели. Сейчас, когда выяснилось, что автобусное путешествие наводит бо́льшую тоску, чем предполагалось, она жаждала крови.

И только Мирта взяла сумку, вытащила деньги — свою долю общего счета — и неторопливо положила их на стол. Потом направилась к двери. Один из бритоголовых загородил было ей путь, и их столкновение могло бы привести к драке, но она оттолкнула его — бесцеремонно и бесстрашно — и пошла дальше.

Остальные тоже поднялись, расплатились и вышли — расписавшись, по сути дела, в собственной трусости, потому что намеревались совершить длинный и трудный путь в Непал, но при первой же реальной угрозе дрогнули и отступили. В схватку готов был вступить только Райан, но индус Рагул схватил его за руки и увел, меж тем как один из бритоголовых поигрывал складным ножом, открывая его и закрывая.

Французы — отец с дочерью — сидевшие за соседним столом, тоже встали, расплатились и двинулись к дверям.

— Вы можете остаться, — снова прозвучал металлический голос главаря.

— Не могу. Я — вместе с ними, и мне стыдно, что подобное происходит в свободной и такой красивой стране. И я постараюсь, чтобы Австрия запомнилась мне не этим скотством, а рекой в альпийских ущельях или прелестью Вены, или величавым монастырем в Мельке. А банду выродков...

Дочь тянула его к двери, но он продолжал говорить:

— ...позорящих свою страну, забуду как можно скорее.

Бритоголовый зашел сзади и ударил француза по спине. Однако шофер-англичанин встал между ними и молча уставился на главаря стальными глазами, что было даже излишним, ибо казалось, что само его присутствие и так вселило в парней страх. Дочка закричала. Те, кто был уже в дверях, развернулись было назад, но индус удержал их. Исход стычки был бы предрешен заранее.

Индус схватил отца и дочь за руки и вытолкал наружу. Все пошли к автобусу. Второй шофер замыкал процессию, по-прежнему не сводя глаз с главаря и не робея.

— Отъедем на несколько километров и заночуем в городке неподалеку.

— То есть убежим? Неужели мы столько проехали, чтобы удирать от первой же драки?

— Да. Убежим, — сказал водитель. — Я несколько раз ездил по этому маршруту и несколько раз мне приходилось убегать. И я не вижу тут ничего унизительного. Гораздо хуже будет обнаружить утром, что нам прокололи шины, и мы не можем тронуться в путь, потому что у меня только два запасных колеса.

Добрались до соседнего городка. Припарковались на улице, показавшейся им тихой и безопасной. После инцидента в ресторане все были напряжены и напуганы, однако теперь чувствовали, что сплочены и готовы дать отпор любому обидчику. Тем не менее, ночевать решили в автобусе.

Заснули с большим трудом, но через два часа салон автобуса осветили мощные фары.

Полиция.

Один из патрульных заглянул внутрь и что-то сказал. Карла, говорившая по-немецки, объяснила остальным, что их просят выйти без вещей — в чем есть. Ночь выдалась студеная, но полицейские — тут были и мужчины, и женщины — не позволили прихватить с собой теплые вещи. Путешественники дрожали от холода и от страха, но это никого из блюстителей порядка, кажется, не беспокоило.

Несколько полицейских вошли в автобус, открыли сумки и рюкзаки, вывернули их прямо на пол. Нашли кальян, из какого обычно курят гашиш.

Конфисковали.

Потребовали предъявить документы, внимательно изучали их при свете фонариков, проверяли въездные визы, сличали фотографии в паспортах с лицами владельцев. Когда настал черед двух малолеток, одна из полицейских отошла к патрульной машине и с кем-то связалась по радио. Дождалась ответа, доложила, кивнула и вернулась к автобусу.

Карла переводила.

— Мы должны доставить вас к уполномоченному по делам несовершеннолетних, туда же вскоре прибудут ваши родители. «Вскоре» — это значит, дня через два или через неделю, в зависимости от того, достанут ли они билеты на самолет или автобус, или возьмут машину напрокат.

Обе девчонки были ошеломлены. Одна расплакалась, но полицейская дама, не обращая на это внимания, продолжала монотонно:

— Не знаю и не желаю знать, куда вы направлялись. Но дальше вас не пущу. Вообще удивительно, что вы пересекли столько границ, и нигде не обратили внимания, что вы сбежали из дому. — Она обернулась к водителю. — А ваш автобус может быть арестован за стоянку в неположенном месте. Я не применяю эту меру, потому что хочу, чтобы вы убрались отсюда как можно раньше и как можно дальше. Вы что — тоже не знали, что везете несовершеннолетних?

— Паспортные данные противоречат тому, что вы сейчас утверждаете.

Полицейская хотела было сказать, что документы подделаны, что невозможно не заметить, насколько возраст обеих пассажирок не совпадает с указанным в паспорте, что они сбежали из дому, просто потому что одна из них утверждала, будто в Непале гашиш гораздо лучше, чем в Шотландии — так, по крайней мере, указано в розыскном деле, которое им прочли в управлении. И что родители обеих сходят с ума. Но предпочла прекратить разговор, потому что объяснять что-либо она должна была только своему начальству.

Полицейские забрали паспорта и приказали девчонкам следовать за ними. Те попытались возражать, но главная пропустила это мимо ушей, тем более, что немецкого злоумышленницы не знали, а полицейские отказывались говорить на другом языке, хоть и наверняка владели английским.

Полицейская завела их в автобус и велела выбрать из общей кучи на полу их вещи, на что потребовалось известное время: остальные меж тем мерзли снаружи. Наконец девчонки вылезли и были препровождены в полицейскую машину.

— Уезжайте, — сказал лейтенант.

— А зачем нам уезжать, раз вы ничего предосудительного не обнаружили? — осведомился водитель. — И куда? Где нам припарковаться так, чтобы у нас не конфисковали автобус?

— Тут неподалеку, на выезде из города есть пустырь — там ночуйте. А с восходом солнца — уезжайте, не портите нам пейзаж своим видом.

Пассажиры разобрали свои паспорта и вошли в автобус. Водитель и его сменщик-индус остались снаружи.

— А в чем мы провинились? Какой закон нарушили? И почему не можем провести ночь здесь?

Хиппи

— Я не обязан отвечать на ваши вопросы. Но если хотите попасть в комиссариат и ждать в холодной камере, пока мы свяжемся с полицией ваших стран — я легко устрою это. Вам могут предъявить обвинение в похищении несовершеннолетних.

Патрульная машина отъехала, увозя девчонок, и никто из сидевших в автобусе так и не узнал, ни куда они собирались, ни что с ними сталось дальше.

Лейтенант поглядел на водителя, тот — на него, а индус — на них обоих. Потом первый шофер сдался, сел за руль, и автобус тронулся.

Лейтенант проводил их насмешливым взглядом. Этот сброд не заслуживает свободы, думал он, колесит по свету и разбрасывает повсюду семена мятежа. Хватит и того, что случилось во Франции в мае 1968 года — такое следует сдерживать любой ценой.

Пусть майские события 1968 года и не имели прямого отношения к движению хиппи и им подобных, но люди могут перепутать одно с другим, а потом возмечтают о том, чтобы все и всюду перевернуть вверх дном.

Хотел бы он быть с ними? Да ни за что на свете. У него семья, дом, дети, еда, друзья-сослуживцы... Хватает и того, что коммунизм придвинулся вплотную к границе: где-то он прочитал, что советские переменили тактику и используют для подрыва устоев местную молодежь, натравливая ее на власти. Он-то сам считал это полной ерундой, лишенной всякого смысла чушью, но все же предпочел не рисковать.

Путешественники на все лады обсуждали недавно пережитой абсурд — все, кроме Пауло, который, казалось, потерял дар речи и сильно побледнел. Карла даже спросила, хорошо ли он себя чувствует — она и мысли не допускала, что ее спутник мог испугаться первого же встречного представителя власти — и он ответил, что все в порядке, может быть, немного перепил, и теперь его подташнивает. Когда же автобус затормозил на пустыре, указанном полицейским, Пауло первым выскочил наружу и отбежал на обочину, чтобы никто не увидел, как его рвет — ибо только он один знал о том, что все время грызло его изнутри, о произошедшем в Понта-Гросса и об ужасе, охватывающем его всякий раз при пересечении границы. От сознания того, что его судьба, его тело и душа всегда будут зависеть от слова ПОЛИЦИЯ, ужас становился нестерпимым. Никогда больше Пауло не ощутит себя в безопасности — он был ни в чем не виноват, когда его

пытали и мучили, он не совершил никакого преступления (не считать же преступлением то, что
время от времени он употреблял наркотики, которых, впрочем, никогда не имел при себе — даже
в Амстердаме, где это не влекло за собой никаких
неприятных последствий).

Пытка и неволя, хоть и остались в прошлом,
но лишь в физической реальности, а в параллельной — продолжали существовать, пребывая в одной из многих жизней, которые он проживал одновременно.

Пауло присел в стороне от остальных, мечтая
лишь о тишине и одиночестве, но индус Рагул подошел к нему и протянул нечто похожее на белый
холодный чай. Пауло сделал глоток — питье напоминало просроченный йогурт.

— Скоро полегчает. Только не ложись и не старайся уснуть. И не ищи объяснений — организм
у одних людей чувствительней, чем у других.

Оба замерли. Снадобье стало действовать через пятнадцать минут. Пауло поднялся и хотел
присоединиться к остальным — те уже развели
костер и танцевали под музыку, доносившуюся из
автобусного приемника. Они танцевали, изгоняя
демонов, танцевали, чтобы показать — они сильней, нравится это кому-нибудь или нет.

— Посиди-посиди еще, — остановил его индус. — Может быть, надо будет помолиться вместе.

— Да я просто чем-то отравился, — объяснил Пауло.

Однако поняв по глазам индуса, что тот не поверил, послушно сел на место. Индус встал перед ним:

— Предположим, что ты — воин в канун битвы, и Господь Просветленный примет в ней участие. Предположим, твое имя — Арджуна, и Господь Кришна просит тебя не трусить, идти вперед и исполнить свой долг, ибо никто не сможет ни умереть, ни убить, ибо время вечно. Дело в том, что ты — смертный человек, ты уже прошел однажды через подобное испытание на другом витке времени, идущего по кругу, и ты видишь, что ситуация повторяется: пусть обстоятельства изменились, чувства и ощущения остаются прежними. Как тебя зовут?

— Пауло.

— Значит, Пауло, ты не Арджуна, всемогущий воитель, боявшийся ранить своих врагов, потому что считал себя хорошим человеком, и Кришне не понравилось это, ибо Арджуна взял на себя власть, которой у него не было. А ты — Пауло из далекой страны, и у тебя, как у каждого из нас, бывают минуты малодушия и минуты, когда мужество побеждает его. Но в минуты малодушия ты одержим страхом.

А корни страха, вопреки тому, что думают многие, тянутся в прошлое. Некоторые наставники-гуру из моей страны утверждают так: «Когда идешь вперед, будешь бояться того, что встретишь». Но чего мне бояться, если я еще не испробовал страдание, разлуку, мучение телесное и душевное?

Ты помнишь свою первую любовь? В ослепительном сиянии она вошла в открытую дверь, и ты дал ей заполнить все пространство, озарить твою жизнь, околдовать твои сны — и так продолжалось до тех пор, пока однажды она, — такое уж свойство у первой любви, — не ушла прочь. Тебе тогда было лет семь или восемь, она — хорошенькая девочка твоего возраста — нашла себе приятеля постарше, а ты остался страдать и твердить, что никогда в жизни не полюбишь вновь, ибо любить — значит терять.

Однако ты полюбил снова — невозможно постичь жизнь, не изведав это чувство. И продолжал любить и терять, пока не встретил кого-то...

Пауло подумал, что уже завтра они попадут в страну, где родилась одна из тех женщин, которым он открывал свое сердце, которых любил и терял: а эта стольку его научила и среди прочего — в минуты отчаяния притворяться смельчаком. И в самом деле это похоже на вертящееся колесо фортуны, что приносит горести и уносит радости, а потом уносит горести и приносит радости.

Карла наблюдала за ними, краем глаза поглядывая на Мирту — не приближается ли она к ним. Как долго они беседуют. Почему же он не возвращается? Почему не идет танцевать со всеми вокруг костра, почему не переступит решительно через мутную волну злобы, поднявшуюся в ресторане и прокатившуюся через маленький городок, откуда их прогнали полицейские?

Она решила потанцевать еще немного, покуда костер рассыпал искры по беззвездному небу.

Музыка была в ведении шофера, который в эту ночь тоже постепенно приходил в себя, хотя подобные происшествия случались с ним и раньше. Чем громче звучит музыка, чем настойчивей зовет она пуститься в пляс — тем лучше. Он подозревал, что скоро и здесь появятся полицейские и попросят их убраться — однако загодя беспокоиться по этому поводу не стал: он не собирался впадать в ужас оттого, что кучка людей, возомнивших себя властью и, как следствие, владыками мира, попытается испортить ему день. Да, всего один-единственный день его жизни, но на свете у него не было сокровища драгоценнее. Именно об этом молила на смертном одре его мать — об одном-единственном дне. Один день стоит дороже, чем все царства земные.

Майкл — так звали шофера — три года назад совершил нечто немыслимое: окончив медицинский факультет и получив в награду от родителей подержанный «фольксваген», он вместо того, чтобы катать на нем девчонок или показывать его приятелям в Эдинбурге, через неделю отправился на нем в Южную Африку. Подрабатывая во время интернатуры в частных клиниках, он скопил достаточно, чтобы провести в путешествиях два-три года. Он мечтал познать мир, потому что человеческое тело уже изучил и понял, насколько же оно хрупко.

По истечении неисчислимого множества дней — он колесил по бывшим английским и французским колониям, помогая больным и утешая страждущих — Майкл свыкся с ощущением постоянной близости смерти и поклялся самому себе, что никогда не оставит бедных без помощи, а брошенных — без внимания и ухода. Он обнаружил, что доброта, оказывается, может стать искупительницей и защитницей — ни разу, ни одной минуты не терпел он лишений, не встречал трудностей, не испытал голода. Двенадцатилетний его автомобиль, совершенно не годившийся для подобных испытаний, был исправен — и только однажды, когда Майкл проезжал через очередную страну, из тех, что вечно охвачены войнами, у него спустило колесо. И добрая слава бежала перед Майклом, даже не подозревающем об этом, и в каждой деревне его встречали как человека, спасающего жизни.

Как-то раз в Конго, в одной красивой деревне на берегу озера он наткнулся на лагерь Красного Креста. Молва о Майкле докатилась и туда: его снабдили вакциной от желтой лихорадки, кое-какими лекарствами, перевязочным материалом и хирургическими инструментами и очень убедительно попросили не встревать ни в какие междоусобицы, а заниматься исключительно ранеными с обеих враждующих сторон. «У нас другие цели, — сказал ему парень из Красного Креста. — Мы не вмешиваемся, мы только лечим».

Рассчитанное на два месяца путешествие растянулось почти на год. Майкл практически никогда не оставался в машине один — он постоянно подвозил кого-нибудь, чаще всего, обессиленных от многодневного пути женщин — они бежали от насилия и ужасов межплеменной розни, которая распространялась по стране все шире, — и на бесконечных заставах и блок-постах неизменно чувствовал, что какая-то сила помогает ему. Стоило ему предъявить паспорт, как его немедленно пропускали: быть может, у кого из проверяющих он вылечил брата, у кого-то — сына, у кого-то — друга.

И это произвело на него столь сильное впечатление, что он дал обет посвятить Господу каждый день своей жизни в надежде, что Тот наставит его и укрепит, и он сможет прожить хоть один — ОДИН-ЕДИНСТВЕННЫЙ — день своей жизни, как Христос. Он решил, что как только завершит свое путешествие по континенту, станет священником.

Прибыв в Кейптаун, Майкл решил отдохнуть, прежде чем отыскать монастырь какого-нибудь ордена и поступить туда послушником. Кумиром его был Игнатий Лойола, который в свое время тоже немало постранствовал по свету, а потом уехал в Париж учиться и основал орден иезуитов.

Майкл снял на неделю номер в дешевом отеле, чтобы весь накопившийся за время путешествия адреналин ушел из его крови, освободив место душевному покою. Он старался не думать ни о чем из виденного и пережитого, ибо даже мысленное возвращение назад привело бы лишь к тому, что на ногах повисли бы тяжеленные, пусть и невидимые, гири и окончательно исчез даже намек на веру в человечество.

Так что, Майкл смотрел только вперед, и думал, как бы подороже продать свой «фольксваген», и целыми днями созерцал панораму моря, расстилавшуюся за окном. Наблюдал, как час от часу меняются цвета солнца и воды и как внизу проходят белые мужчины с трубками в зубах и в пробковых шлемах на голове, ведя под руку своих жен, разряженных как для приема у королевы. По набережной прогуливались только белые люди — ни одного чернокожего. И это печалило его сильнее, чем он мог представить: в стране была узаконена расовая сегрегация, а он — по крайней мере, в те дни — ничего не мог с этим сделать. Только молиться.

И он молился с утра до ночи, прося вдохновения и готовясь в десятый раз повторить духовные упражнения Святого Игнатия. Чтобы оказаться во всеоружии, когда придет час.

На третьи сутки, утром, когда он завтракал, к его столику подошли двое в строгих светлых костюмах:

— Так, значит, это вы прославляете Британскую Империю?

Хиппи

Британской Империи больше не существовало, ее давно заменило Содружество, и потому эти слова удивили Майкла.

— Я славлю каждый день как день единственный, — ответил он, зная, что они не поймут.

Они и в самом деле не поняли, и беседа сразу приняла опасный оборот.

— Всюду, где бы вы ни появлялись, вас встречали с уважением и радушием. Нам в британском правительстве нужны такие люди.

Если бы не слова «британское правительство», Майкл мог бы подумать, что его приглашают работать на шахту, на плантацию или на горнорудный завод — работать в качестве десятника, управляющего или врача. Но «британское правительство» значило другое. А Майкл был человек добросердечный, но не простодушный.

— Спасибо за предложение. Но у меня другие планы.

— И какие же?

— Я хочу стать священником. И служить Богу.

— Вы не находите, что лучший способ служить Богу — это служить своей стране?

Майкл понял, что дольше оставаться в этом краю, куда он добирался с таким трудом, нельзя. И решил первым же самолетом вернуться в Шотландию — деньги на это у него были.

Он поднялся, не дав незнакомцам продолжить беседу. Потому что знал, что занятие, которое ему так обходительно предлагают, называется «шпионаж».

У него сложились добрые отношения с воюющими племенами, он был знаком с очень многими людьми и меньше всего на свете хотел бы обмануть тех, кто доверился ему.

Майкл собрал свои вещи, договорился с управляющим отелем, что тот продаст его машину, оставил адрес приятеля, которому следовало перевести деньги, уехал в аэропорт и через одиннадцать часов приземлился в Лондоне. Покуда ждал поезда в центр, на доске объявлений среди предложений об аренде квартир на паях, о наборе официантов и девушек в кабаре, о помощи по хозяйству, увидел и такое: «Требуются водители для поездок в Азию». И вместо того, чтобы ехать в центр, отправился прямиком по указанному адресу — в маленький офис с вывеской на двери: «Баджет Бас».

— Вакансия уже занята, — сказал ему длинноволосый юноша, открывая окно, чтобы хоть немного выветрился запах гашиша. — Но я слышал, что квалифицированные водители требуются в Амстердаме. Опыт работы имеется?

— Еще какой.

— Ну, вот и отправляйтесь. Скажете — от Теда. Они меня знают.

И протянул рекламную листовку, где значилось более возвышенное название фирмы — «Мэджик Бас». Текст листовки гласил: «Побывайте в краях, о которых не смели прежде и мечтать. Мы обеспечиваем проезд всего за семьдесят долларов с человека. Все остальное вы везете с собой — за исключением наркотиков, за провоз которых вы лишитесь головы, даже не добравшись до Сирии».

Ниже помещался снимок пестро расписанного автобуса, перед которым несколько человек показывали два растопыренные пальца: хиппи считали это знаком мира и любви, а Черчилль — победы. Майкл отправился в Амстердам и был немедленно принят на работу — судя по всему, спрос превышал предложение.

Нынешняя поездка была третьей по счету, и ему до сих пор не наскучили эти странствия по азиатским просторам. Он поставил другую кассету, поскольку сам выбирал музыкальное сопровождение — и полился голос Далиды, египтянки, живущей во Франции и стяжавшей себе славу во всей Европе. Пассажиры еще больше оживились: недавний кошмар сгинул окончательно.

Рагул понял, что бразилец почти совсем пришел в себя.

— Я заметил, что ты не особенно испугался этих бритоголовых подонков в черном. Ты был готов к драке, но у нас в этом случае возникли бы крупные неприятности: мы не хозяева земли, мы паломники. И, значит, зависим от чужого гостеприимства.

Пауло кивнул, соглашаясь.

— Но когда появилась полиция, ты просто оцепенел. У тебя что — нелады с законом? Ты скрываешься? Убил кого-нибудь?

— Нет, никого... Но несколько лет назад, если бы мог — наверняка бы убил. Только я так ни разу и не увидел лица моих возможных жертв.

И широкими мазками, без подробностей, чтобы индус не подумал, будто он сочиняет, набросал картину того, что случилось в Понта-Гроссо. Водитель не проявил к этому большого интереса.

— А-а, — только и сказал он. — Ну, боязнь полиции встречается чаще, чем ты думаешь. Полиции боятся все — даже самые законопослушные граждане.

Эта реплика успокоила Пауло. Тут к ним подошла Карла:

— Что это вы уединились в сторонке? Вы теперь всегда будете ходить парочкой вместо тех девчонок, что от нас увезли?

— Мы просто готовимся к молитве. Только и всего.

— А мне можно с вами?

— Твой танец вокруг костра — тоже ведь способ восславить Всевышнего. Возвращайся и продолжай.

Но Карла, красотой уступавшая только Мирте, не сдавалась. Она хотела молиться так, как это делают бразильцы. Потому что на индусов, застывших в причудливых позах, устремивших в бесконечность глаза с нарисованной между ними точкой, она и в Амстердаме насмотрелась.

Пауло предложил взяться за руки и только собрался произнести первый стих молитвы, как Рагул остановил его:

— Давайте произнесем слова молитвы в следующий раз. Сегодня лучше мы помолимся не словами, а движениями, то есть танцем.

Он направился к костру, а Карла и Пауло — следом за ним: для всех в этом автобусе музыка и танец были способом освободиться от собственной телесной оболочки. Все будто говорили себе: «Сегодня вечером мы веселимся вместе, как бы ни хотели силы зла оторвать нас друг от друга. Мы — вместе и пребудем вместе на том пути, что ждет нас впереди, как бы ни стремились силы тьмы воспрепятствовать нам.

Мы — вместе, но рано или поздно настанет день, когда нам придет пора расстаться. Еще толком не узнав друг друга, еще не сказав друг другу нужные слова, мы оказались вместе по каким-то таинственным непознаваемым причинам. Сейчас мы впервые пляшем вокруг костра, уподобившись древним, которые были несравненно ближе к мирозданию и умели различать в звездах на ночном небе, в тучах и в бурях, в огне и ветре движение и гармонию, и потому танцевали, танцем своим славя жизнь.

Танец все преображает, требует отдать ему все и никого не осуждает. Танцует тот, кто свободен, пусть даже сидит он в тюремной камере или в инвалидном кресле, ибо танец — это не просто повторение неких движений, это разговор с Тем, кто больше и могущественней всего и вся, это — разговор на языке, не ведающим себялюбия и страха».

И в ту ночь в сентябре 1970 года путешественники, которых выгнали из бара и унизила полиция, танцевали и возносили хвалу Господу за то, что сделал их жизнь столь интересной, столь наполненной новизной и научил их принимать брошенный ею вызов.

Хиппи

Без приключений они проехали все республики, входящие в состав государства под названием Югославия (там подсели еще два парня — художник и музыкант). Когда пересекали столицу страны Белград, Пауло с нежностью, но без всякой грусти вспомнил свою прежнюю возлюбленную, с которой когда-то впервые оказался за границей: эта женщина учила его водить машину, говорить по-английски, заниматься любовью. Он дал волю воображению и стал представлять, как, быть может, по этим самым улицам много лет назад бежала она с сестрой, спасаясь от налетов германской авиации.

«Когда начинали выть сирены, мы лезли в погреб. Мать прижимала нас обеих к груди, закрывала собственным телом и заставляла разевать рты.

— А зачем?

— Чтобы мы не оглохли до конца жизни от страшного грохота разрывов».

В Болгарии — по взаимному соглашению между властями и водителем — за автобусом неотступно следовала машина с четырьмя мрачными субъектами. После приступа всеобщего ликования в Австрии путешествие стало тяготить их своим однообразием. Предусмотрена была недельная остановка в Стамбуле, но до него было еще далеко — 190 километров, если быть точным, — сущие пустяки по сравнению с тремя тысячами, оставшимися к тому времени позади.

Через два часа показались минареты двух больших мечетей.

Стамбул! Наконец-то!

Пауло мысленно во всех подробностях расписал себе программу. Он уже видел однажды, как развевая полы своих одеяний, кружатся на месте дервиши. Завороженный их танцем, он решил, что непременно научится ему, пока не сообразил, что это не просто танец, а способ вступить в связь с Богом. Пауло много читал о приверженцах этого исламского течения, называвших себя суфиями и приводивших его в восторг. Он мечтал когда-нибудь попасть в Турцию и стать учеником суфия или дервиша, но не думал, что мечта эта исполнится так скоро.

И вот он здесь! Высокие башни минаретов приближались с каждой минутой, машин на автостраде становилось все больше. Пробки. Ну, ничего, немного терпения, чуточку подождать — и еще сегодня он окажется в этом вожделенном городе.

— Нам час пути остался, — сказал водитель. — В Стамбуле остановимся на неделю, но, как вы, наверное, сами понимаете, не для того, чтобы дать вам время полюбоваться достопримечательностями... Дело в том, что перед выездом из Амстердама...

О, боже, Амстердам! Казалось, это было сто лет назад!

— ...нас предупредили: в начале месяца было покушение на короля Иордании, и потому территория, по которой мы должны проехать, превратилась в настоящее минное поле. Я все время старался быть в курсе того, что там творится, сейчас, конечно, поспокойней стало, но мы еще в Амстердаме решили не рисковать.

Так что, будем выполнять наш план. Помимо всего прочего, мы с Рагулом тоже устали от однообразия и тоже хотим есть, пить и развлекаться. Стамбул — город дешевый, верней сказать — ОЧЕНЬ ДЕШЕВЫЙ, турки — народ замечательный, а страна вопреки тому, что видишь на улицах, не мусульманская, а вполне светская. Тем не менее, нашим красоткам я посоветовал бы одеваться поскромнее, а нашим славным парням — не лезть в драку только из-за того, что кто-то отпустит шуточку насчет вашей волосни до плеч.

С инструкциями было покончено.

— Да, и вот еще что: когда мы еще были в Белграде, и я позвонил сообщить, что у нас все в порядке, мне сказали — некий журналист очень хочет с вами встретиться и взять интервью, чтобы из первых рук узнать, кто такие хиппи. В агентстве решили, что это важно, что это послужит отличной рекламой. Я не нашел в себе мужества разубеждать их.

Журналист знал, где мы остановимся, чтобы заправить машину и подзаправиться самим, и уже ждал нас там. Он забросал меня вопросами, но я не сумел ему дать ни одного толкового ответа: только и смог сказать, что такие люди, как вы, свободны душой и телом. Тогда журналист — он, кстати, представляет крупное французское новостное агентство — спросил, может ли он прислать к нам стамбульского корреспондента, чтобы напрямую поговорить с кем-нибудь из вас. Я сказал, что, мол, не знаю, но поскольку жить мы будем все вместе — в самом дешевом отеле, какой нам удалось раздобыть, по четыре человека в номере...

— Я доплачу, сколько надо, — воскликнул француз, — но жить мы с дочкой будем в номере на двоих.

— Мы тоже, — сказал Райан. — Номер на двоих.

Пауло вопросительно взглянул на Карлу, и та после недолгого колебания произнесла:

— И мы тоже.

Хиппи

Второй музе «Волшебного автобуса» нравилось демонстрировать всем, что тощий бразилец целиком у нее под пятой. Оба, кстати, истратили гораздо меньше, чем ожидали — главным образом потому, что питались сэндвичами и ночевали в автобусе. Несколько дней назад Пауло пересчитал свою наличность — 821 доллар, и это после многих недель пути. Томительная скука последних дней привела к тому, что Карла слегка оттаяла, так что между ними даже возник телесный контакт: один спал, положив голову на плечо другому, и время от времени они брались за руки. Это наполняло их сердца ощущением уюта и нежности, причем оба не помышляли даже о поцелуях, не говоря уж о чем-то большем.

— Так что, должен появиться какой-то корреспондент. Не хотите с ним разговаривать — никто вас не заставляет. Я всего лишь передаю то, что мне сказали. Да, вот еще что, — добавил водитель, пошептавшись со своим сменщиком. — Это важно. Здесь на улице очень легко купить наркотики — от гашиша до героина. Точно так же, как в Амстердаме, Париже, Мадриде или Штутгарте, к примеру. Но если сцапают, никто — понимаете, никто — не вытащит вас из тюрьмы ко времени отъезда. Я предупредил и надеюсь, что вы хорошо, очень хорошо усвоили сказанное...

Предупреждение было дано и получено, но Майкл сильно сомневался, что кто-нибудь послушается, потому что вот уже три недели никто из пассажиров ничего не принимал. Все это время он внимательно следил за ними и ни разу не заметил, чтобы они проявили интерес к тому, что каждый день потребляли в Амстердаме и других европейских городах.

И это в очередной раз заставило его задуматься — почему все так упорно твердят, что наркотики губительны? Майкл, как врач, экспериментировавший когда-то в Африке с галлюциногенными растениями, чтобы понять, не могут ли они принести пользу его пациентам, твердо знал, что зависимость вызывают только опиаты.

Ах да, еще кокаин, но он редко появляется в Европе, потому что чуть ли не все, что производится в Андах, потребляют Соединенные Штаты.

И вот ведь странность какая — государство тратит огромные деньги на пропаганду борьбы с наркотиками, а спиртное и табак свободно продаются в любом баре на углу. Должно быть, дело в сенаторах, доходах от рекламы — в этом всем.

Майкл знал, что голландка, в конце концов решившаяся разделить номер с бразильцем, пропитала страницу своей книги раствором ЛСД — она сама обсуждала это с другими, в автобусе все про всех знали, и «незримая почта» действовала там бесперебойно. Когда придет время, Карла оторвет кусочек бумаги, пожует, проглотит и погрузится в галлюцинации.

Но это не страшно. Хотя диэтиламид лизергиновой кислоты, синтезированный в Швейцарии Альбертом Гофманом и распространившийся по всему свету благодаря профессору Гарварда Тимоти Лири, давно запрещен, установить, что кто-то находится под воздействием именно этого препарата, до сих пор невозможно.

Пауло проснулся оттого, что крепко спавшая Карла положила ему руку на грудь. И стал думать, как бы переменить позу, не разбудив девушку.

Накануне они вернулись в отель относительно рано; поужинали вместе со всей группой в одном ресторане и убедились, что Майкл прав — в Турции в самом деле все было очень дешево. А войдя в номер, обнаружили там двуспальную кровать. Не обсуждая это новое обстоятельство, они приняли душ, постирали и повесили сушиться свою одежду и, смертельно усталые, буквально рухнули в постель. Оба, по всей видимости, мечтали только о том, чтобы впервые за много дней поспать по-человечески, но соприкосновение обнаженных тел переменило их намерения. Незаметно для самих себя они принялись целоваться.

Пауло испытал возбуждение не сразу, а Карла не пришла к нему на помощь, лишь дала понять, что если он хочет, она не против. Впервые их близость пошла дальше поцелуев и прикосновений, и Пауло терзался сомнениями — неужели только потому, что рядом с ним лежит красивая девушка, он обязан доставить ей наслаждение? А если нет? Она ощутит себя не такой красивой и менее желанной?

Карла же думала так: «Дам ему немножко помучаться — пусть думает, что я обижусь, если он решит пренебречь мной и уснуть. Если же увижу, что события пошли не так, как мне хочется, сделаю все, что надо, сама, но пока подожду».

Наконец Пауло совладал с непослушной плотью, овладел Карлой, но, как ни старался он контролировать себя, оргазм у него случился раньше, чем оба предполагали. Да и неудивительно — он уже довольно давно был без женщины.

Карла, не получившая никакого удовольствия — о чем Пауло, разумеется, догадался — с материнской нежностью потрепала его по голове и повернулась на бок, почувствовав в этот миг, что и сама сильно утомлена дорогой. Она заснула тотчас, не перебирая в голове мысли, которые обычно помогали ей погрузиться в сон. То же самое произошло и с Пауло.

И вот теперь он проснулся, вспомнил события минувшей ночи и решил уйти раньше, чем придется что-то говорить по этому поводу. Очень осторожно высвободился, встал, достал из рюкзака запасные штаны, обулся, натянул куртку и только собрался открыть дверь, как услышал:

— Куда ты? Даже не скажешь мне «доброе утро»?

— Доброе утро. *Стамбул — интереснейшее место, и я надеюсь, тебе здесь понравится.*

— Почему ты меня не разбудил?

Потому что считаю, что когда мы спим, в снах мы общаемся с Богом. Я постиг это, когда начал заниматься оккультизмом.

— Потому что ты могла видеть во сне что-нибудь приятное или потому что мне было жалко тебя — ты устала вчера.

Слова. Слова и слова. Они годятся только для того, чтобы все постепенно усложнять.

— Помнишь, что было ночью?

У нас был секс. Незапланированный. Просто потому, что мы оказались голые в одной постели.

— Помню. И хочу извиниться. Знаю, это было не то, чего ты ждала.

— Да ничего я не ждала. Ты что — идешь встречаться с Райаном?

Он знал, что на самом деле она хотела спросить: «Ты идешь встречаться с Райаном и МИРТОЙ?»

— Нет.

— А ты знаешь, куда идешь?

— Знаю, что хочу найти. А где это находится — нет. Спрошу у портье, он должен знать.

Пауло надеялся, что на этом вопросы ее иссякнут, и она не спросит, что же именно он ищет. А он хотел найти людей, знающих, где найти дервишей. Но нет — она спросила.

— Ищу место, где проводят религиозную церемонию, на которой пляшут.

— Сегодня твой первый день в таком ни на что непохожем городе, в такой особенной стране, а ты собрался делать то же, что делал в Амстердаме? Тебе мало было кришнаитов? И плясок вокруг костра?

Мало. И в досаде, смешанной с желанием подразнить Карлу, он рассказал ей о танцующих турецких дервишах, которых видел в Бразилии. Люди в маленьких красных шапочках и в белоснежных долгополых одеждах начинали медленно кружиться на месте, подобно тому, как вращается Земля или другие планеты. И это вращение через какое-то время вводило дервиша в состояние, подобное трансу. Дервиши составляли особый орден, иногда признаваемый, а иногда осуждаемый официальным исламом, в котором они черпали вдохновение. Разновидность его называлась суфизмом: это течение основал в XIII веке поэт, родившийся в Персии и похороненный в Турции.

Суфизм признает лишь одну истину: ничто не может быть разделено, ибо зримое и невидимое ходят рядом, а люди — суть призраки из мяса и костей. По этой причине Пауло не очень интересовался разговорами о параллельной реальности. Мы — все и всё в одно и то же время — время, которого, кажется, тоже не существует. Мы забыли об этом, потому что на нас каждый день обрушивается лавина информации из газет, радио, телевидения. Если мы признаем Единобытие, нам не потребуется ничего другого. На краткий миг нам будет явлен смысл жизни, и этот миг даст нам сил дойти к тому, что принято называть смертью — которая на самом деле всего лишь точка на кольце времени, не имеющем ни начала, ни конца.

— Поняла?

— Вполне. Ну и ладно, а я тогда отправлюсь на главный городской базар — не может же в Стамбуле не быть базара? — где люди, работающие день и ночь, показывают немногочисленным туристам самое чистое выражение своих сердец —

свое искусство. Разумеется, я ничего не собираюсь покупать — не потому, что деньги экономлю, а потому что в рюкзаке нет места — но постараюсь изо всех сил, чтобы эти люди поняли меня, мое восхищение и уважение к тому, что они делают. Ибо вопреки всем твоим философским построениям для меня единый и единственный язык человечества — это Красота.

Она подошла к окну, и Пауло увидел, как против света вырисовывается контур ее обнаженного тела. Как ни досадовал он на нее, Карла вызывала в нем глубокое уважение. Он вышел из номера в раздумье — не лучше ли вместе с ней пойти на базар: сколько бы он ни читал о суфизме, едва ли ему удастся сейчас войти в его затворенный и непроницаемый мир.

А Карла, стоя у окна, думала: почему же он не позвал ее с собой? Ведь впереди еще шесть дней, базар не убежит и не закроется, а таинственные обряды дервишей, наверняка, незабываемы.

И в очередной раз они разошлись в противоположные стороны, хотя оба всеми силами души хотели обрести друг друга.

Внизу Карла встретила почти всех своих попутчиков, и каждый звал ее с собой — кто посмотреть Синюю Мечеть, кто — Айя-Софию, кто — Антропологический музей. Стамбул был богат единственными в своем роде достопримечательностями вроде гигантского резервуара[1] с двенадцатью рядами колонн (итого — 336, подсчитал кто-то из группы), где когда-то хранили запасы воды для византийских императоров. Но Карла сказала всем, что у нее другие планы, и никто не спросил, какие именно, и не поинтересовался, как она провела ночь в одном номере с бразильцем. Позавтракали все вместе — и разошлись кто куда.

Вообще-то путь Карлы пролегал не по туристическому маршруту. Она спустилась на набережную Босфора и долго глядела на красный мост, соединявший Европу и Азию. Мост! Мост между двумя континентами — такими разными и такими далекими друг от друга. Она выкурила две или три сигареты, чуть приспустила свою строгую блузку, подставляя плечи под солнечные лучи, но прогуливавшиеся мимо мужчины то и дело пытались завести с ней разговор — так что вскоре ей пришлось застегнуться и покинуть свой наблюдательный пункт.

С того дня, как поездка утратила разнообразие, Карла постоянно предавалась размышлениям

---

[1] Речь идет о Цистерне Базилике — одном из самых крупных подземных водохранилищ Константинополя, построенном между 306 и 532 гг, где хранилась вода на случай засухи или осады города. Внутри водохранилище похоже скорее на дворец, а большая часть колонн взята из античных храмов *(прим. ред.)*.

и задавала себе свой излюбленный вопрос: «Зачем я еду в Непал? Я никогда особенно не верила во все это, и мое лютеранское воспитание сильней, чем курения, мантры, позы, созерцания, священные книги и эзотерические секты». И ехала она не за тем, чтобы найти ответы — она и без того знала их, и устала постоянно доказывать и демонстрировать силу характера, мужество, готовность к отпору, неудержимую страсть к соперничеству и первенству. Всю свою жизнь она только и делала, что подавляла других, добивалась победы над ними — а себя одолеть не могла. И, несмотря на свою молодость, давно привыкла быть такой, как есть. Рановато, пожалуй.

Она собиралась изменить мир, и не могла изменить самое себя.

Хотела сказать бразильцу много больше того, что сказала, хотела заставить его поверить в то, что с каждым днем он становится для нее все важней. И не без злорадного удовольствия думала, что Пауло вышел из номера совсем убитым, чувствуя себя виноватым за то, что ночью оказался не на высоте, а она пальцем не пошевелила, чтобы разубедить его, не сказала «Любовь моя (ах, вот даже как?!), не принимай это так близко к сердцу, первый раз — не в счет, это всегда так бывает, постепенно мы приноровимся друг к другу».

Однако обстоятельства не позволяли ей приблизиться ни к нему, ни к кому другому. То ли потому, что она была слишком нетерпелива, то ли потому что люди не шли ей навстречу, не помогали, не пытались принять ее такой как есть — они очень скоро отдалялись, не в состоянии сделать даже небольшое усилие, чтобы пробить ледяную стену, за которой пряталась Карла.

Но она еще может любить — любить, не ожидая благодарности, вознаграждения, перемен в жизни.

Она много раз в жизни испытывала это чувство. Когда оно настигало ее, энергия любви преображала Вселенную вокруг. Обычно, когда эта энергия возникает, она неизменно делает свое дело, но здесь все обстояло иначе: Карла долгой любви не выдерживала.

Ей хотелось бы ощущать себя сосудом, куда великая Любовь поставит свои цветы или наполнит своими плодами. И пусть живая вода в нем хранит их такими, как будто они только что собраны и ждут, когда у кого-нибудь хватит отваги — вот оно, нужное слово! — взять их. Но никто не приходил — вернее, люди приходили и тотчас пугались, потому что видели не вазу с плодами, а бурю с громом и молниями, буйство неукротимой стихии, предназначенной лишь для того, чтобы вращать мельничные колеса, освещать города и — внушать ужас.

Она хотела, чтобы люди видели красоту, а перед ними представал лишь ураган, с которым они даже не пытались совладать. И предпочитали убегать в безопасное место.

Она снова вспомнила своих родителей — те, хоть и были воцерковленными лютеранами, ничего не внушали и не навязывали ей. Случалось, конечно, что в детстве ей попадало — за дело, и это было в порядке вещей у них в городе и не ранило ее душу.

Она отлично училась, блистала спортивными успехами, была самой красивой девочкой в классе (и знала об этом), никогда не страдала от мужского невнимания и все же больше всего на свете любила одиночество.

Одиночество. Удовольствие, которое она получала от этого, и породило мечту о поездке в Непал — там она отыщет пещеру и будет жить в ней, пока не выпадут зубы и не поседеют волосы, пока местные жители не перестанут приносить ей еду и пока солнце, закатываясь, в последний раз не осветит для нее снег. Больше ничего не надо.

Одна.

Школьные подруги завидовали ее умению общаться с мальчишками, сокурсники восхищались тем, как она независима и как точно знает, чего хочет, коллеги поражались креативности — одним словом, это была женщина — верх совершенства, царица горы, хозяйка джунглей, спасительница заблудших душ. К ней сватались с восемнадцати лет — претенденты на руку и сердце были самые разные, но, как правило, богатые мужчины, подкреплявшие предложения «убедительными аргументами» вроде драгоценностей (достаточно было, например, продать пару — далеко не последних — бриллиантовых колечек, чтобы отправиться в Непал, и еще немало осталось на прожитье).

Каждый раз, получая дорогой подарок, она предупреждала, что не вернет его в случае разрыва. Мужчины только посмеивались, потому что всю свою жизнь привыкли отвечать на вызов других мужчин, сильней, чем они сами, и ее слова не принимали всерьез. И, лишь срываясь в конце концов в пропасть, сотворенную Карлой вокруг себя, понимали они, что на самом деле никогда и не были по-настоящему близки с этой обворожительной девушкой, а отношения с ней были подобны балансированию на хрупком веревочном мостике, не выдерживавшем груза монотонной, повторяющейся изо дня в день обыденности. Через неделю или через месяц происходил разрыв, и ей даже не надо было ничего говорить — никто из них не решался попросить что-нибудь из подношений назад.

Но вот один из ее любовников на третий день их романа, когда они завтракали в постели в номере роскошного парижского отеля (они прилетели туда на презентацию книги — «от Парижа не отказываются», таков был ее излюбленный девиз), вдруг произнес слова, которые она запомнила навсегда:

— У тебя депрессия.

Она рассмеялась в ответ. Они были вместе так недавно, они ужинали накануне в великолепном ресторане, пили лучшие вина и самое дорогое шампанское — с чего это он взял?

— Ничего смешного. У тебя — депрессия. Или тревожное расстройство. Впрочем, одно другому не мешает. В любом случае, пройдет еще сколько-то лет — и обратного пути уже не будет, так что лучше тебе признать и принять это уже сейчас.

Карле захотелось рассказать ему, как вольготно ей живется, какая у нее замечательная семья, как ей нравится ее работа, как тешит ее восхищение окружающих, но губы, словно сами собой, произнесли другие слова:

— И зачем ты мне это говоришь?

Весь ее вид выражал презрение. Любовник, чье имя она постаралась забыть уже на следующий день, сказал, что ему не хочется говорить на эту тему: он психиатр по профессии, а здесь и сейчас — в другом качестве.

Хиппи

Однако Карла настаивала. И возможно, он и сам хотел поговорить об этом, потому что к этому моменту он, по ощущениям Карлы, уже мечтал навсегда связать с ней свою жизнь.

— Как ты можешь знать — ведь мы вместе так недавно?

— Твое «недавно» — это целых 48 часов. И я мог наблюдать за тобой и на автограф-сессии во вторник, и вчера за ужином. Тебе уже случалось любить кого-нибудь?

— Многих.

Это было неправдой.

— И что это, по-твоему, такое — любить?

Вопрос так ошеломил ее, что для ответа ей собрать всю свою изобретательность. Потом она сказала неторопливо и уже совладав с растерянностью:

— Любить — значит, позволить все. Не думать ни о рассветах, ни о заколдованных лесах, не бороться с течением, а отдаться радости. По крайней мере, для меня это так.

— Продолжай.

— И оставаться свободной, так, чтобы человек с тобой рядом не чувствовал себя порабощенным. Любовь — это тихое, спокойное, я бы даже рискнула сказать — одинокое дело. Любовь существует исключительно ради себя самой, а не ради брака, детей, денег и всего прочего.

— Хорошо сказано. Но, покуда мы вместе, мне хотелось бы попросить тебя подумать о том, что я сказал. Не станем портить себе пребывание в этом неповторимом городе: я тебя не буду заставлять копаться в своей душе, а ты меня — работать.

Что ж, он прав. Но почему он считает, что у меня депрессия или тревожный синдром? И почему проявил так мало интереса к тому, что я говорила?

— А отчего у меня может быть депрессия?

— Я мог бы сказать — от того, что ты еще не научилась любить по-настоящему. Но сейчас этот ответ уже не годится: многие из тех, кто пребывал в угнетенном, подавленном состоянии, обращались ко мне именно из-за, так сказать, избытка любви. Из-за того, что растворялись без остатка в объекте своей любви. Но я считаю — хотя мне и не следовало бы говорить об этом — что причины твоей депрессии кроются в физическом состоянии твоего организма. Ему чего-то существенно не хватает. Может быть, серотонина, может быть, допамина, но с уверенностью можно сказать — не норадреналина.

— Так что, депрессия — это химический процесс?

— Нет, конечно. Тут множество разнообразных факторов, но не лучше ли нам одеться и пройтись по набережным Сены?

— Наверно, лучше. Но сначала заверши свою рацею[1] — какие именно факторы?

— Ты сказала, что любовь можно прожить в одиночестве; без сомнения, это так, но это в силах сделать лишь тот, кто решил посвятить свою жизнь Богу или ближним. Святой. Провидец. Бунтарь. В данном же случае я веду речь о любви более человеческой, которая проявляется, только когда мы рядом с любимым существом. Эта близость причиняет нам неимоверные страдания, если мы не можем высказать свои чувства или если нас не замечают. Уверен, что ты в депрессии, потому что ты НА САМОМ ДЕЛЕ — не здесь: твои глаза блуждают, в них нет света, а только скука. Во время автограф-сессии я видел, какие нечеловеческие усилия ты прилагала, чтобы общаться с людьми и мило болтать с ними — все они должны были казаться тебе скучными пошляками, твердящими одно и то же, известное наперед.

Он поднялся.

— Ну, хватит. Я пойду в душ. Или пустить сначала тебя?

— Иди ты первый. Я пока соберу чемодан. И не торопись — после всего, что я выслушала, я хочу побыть одна. Нет, правда — мне нужно полчаса одиночества.

[1] Р а ц е я — длинное наставление *(прим. ред.)*.

Он насмешливо хмыкнул, что означало «Ну, что я говорил?». Но ушел в ванную. Карла за пять минут сложила чемодан и оделась. Бесшумно открыла дверь и закрыла ее за собой. Прошла через холл, поприветствовав всех, кто удивленно глядел на нее из-за стойки портье, однако никто ничего не спросил, потому что роскошный номер был снят не на ее имя — в противном случае пришлось бы объяснять, куда это она направляется с багажом, не уплатив по счету.

Спросила у портье, когда ближайший рейс в Голландию. Куда именно? — Куда угодно, я — оттуда и хорошо знаю страну. — В 14:15 отправляется рейс компании КЛМ. Если угодно, мы купим билет и включим его в счет.

Карла поколебалась, подумала, не отомстить ли этому человеку, который взялся читать в ее душе без ее разрешения и вдобавок, наверняка, во всем ошибся.

Но все же она отказалась от этой идеи, сказав: «Нет, спасибо, у меня есть наличные». Потому что никогда и никуда не летала, ставя себя в зависимость от мужчин, которых то и дело выбирала себе в спутники.

Она снова взглянула на красный мост, припоминая все, что читала о депрессии — и все, чего так и не прочла, потому что остановилась, испугавшись, — и решила, что в ту самую минуту, когда окажется на другом берегу, она станет другой женщиной. Она позволит себе увлечься совершенно неподходящим человеком, живущим на другом конце света: она будет тосковать по нему или сделает все, от нее зависящее, чтобы быть с ним рядом, или будет думать о нем и вспоминать его лицо в полумраке пещеры в непальских скалах. Но не будет продолжать прежнюю свою жизнь — жизнь человека, который обладает всем и ничем не пользуется.

Пауло стоял на узкой улице с несколькими заброшенными, по всей видимости, домами, у двери без номера или таблички. Ценой больших усилий и бесчисленных расспросов он сумел отыскать центр суфизма, но совершенно не был уверен, что найдет там хоть одного танцующего дервиша. Прежде всего он отправился на базар (где надеялся — и напрасно — встретить Карлу) и там принялся мимикой и жестами изображать священную пляску, повторяя слово «дервиш». Одни смеялись над ним, другие, считая, видно, что перед ними сумасшедший, опасливо сторонились, чтобы он ненароком не задел их раскинутыми руками.

Но он не отчаивался: в нескольких лавках продавались те красные шапки в форме усеченного конуса, в каких дервиши выступали тогда в Бразилии — именно эти головные уборы приводят обычно на память турок. Он купил одну, надел и двинулся по рядам от прилавка к прилавку, пытаясь объяснить знаками — и теперь еще с помощью своей фески — что ему требуется найти. На этот раз люди не смеялись и не шарахались, а смотрели на него с серьезным видом и отвечали по-турецки. Пауло не сдавался.

Наконец какой-то седовласый господин как будто понял чужестранца, который без конца повторял слово «дервиш» и, похоже, уже выбился из сил. У Пауло было в запасе еще шесть дней, он мог бы получше обследовать базар, но в этот миг седой подошел к нему и произнес:

— Дарвеш.

Да-да, наверно, Пауло неправильно произносил это слово. Для верности он изобразил несколько танцевальных движений. На лице седого удивление сменилось осуждением.

— You muslim?

Пауло замотал головой.

— No, — сказал седой. — Only Islam.

Пауло загородил ему дорогу:

— Поэт! Руми! Дарвеш! Суфи!

Имя основателя этого течения и слово «поэт» смягчили седого, и он с притворной досадой и словно бы нехотя взял Пауло за руку, вывел его с базара и подвел к этому полуразвалившемуся дому.

Хиппи

Он уже несколько раз постучал в дверь. Ему не открыли. Он взялся за ручку, она неожиданно подалась — дверь была не заперта. Войти? Не арестуют ли его за незаконное проникновение? И правда ли, что в брошенных домах обитают одичалые собаки, охраняя свое пристанище от бездомных бродяг?

Он приоткрыл дверь. И вместо собачьего лая услышал голос, в отдалении произносивший что-то по-английски — слов Пауло разобрать не мог — и по запаху благовоний понял, что попал туда, куда стремился.

Напрягая слух, стал ловить невнятные слова. Ничего не получалось. Оставалось только войти: ну, что ему терять? В крайнем случае выставят вон. А если повезет, может совершенно неожиданно исполниться его заветная мечта — он вступит в контакт с танцующими дервишами.

Надо рискнуть. Он перешагнул порог, притворил за собой дверь и, когда глаза немного привыкли к относительной темноте, царившей вокруг, увидел, что стоит в старом, совершенном пустом зале с выкрашенными в зеленое стенами и деревянным полом. Окна с наполовину выбитыми стеклами пропускали немного света, так что в дальнем углу этого зала, который внутри был гораздо просторней, чем казалось с улицы, Пауло разглядел человека — тот сидел на пластмассовом стуле и разговаривал сам с собой, но, заметив гостя, замолчал.

Потом произнес несколько слов по-турецки. Пауло показал знаками, что не понимает. Человек покачал головой, как бы сетуя на то, что его отрывают от важного дела.

— Что нужно? — спросил он с французским акцентом.

Что мог ответить Пауло? Только правду. — Танцующих дервишей.

Человек рассмеялся.

— Прекрасно. Я когда-то, как и ты, пришел сюда — из захолустного французского городка Тарба, где была всего одна мечеть — в поисках мудрости и постижения. Тебе ведь тоже нужны они, не правда ли? Что же, поступай, как я в ту пору. Посвяти тысячу и один день изучению поэта, проникая в суть написанного, будь готов ответить на любой вопрос любого человека о мудрости, заключенной в его строках — и тогда сможешь начать обучение. Ибо твой голос уже вплетется в голос Просвещенного — в его стихи, сочиненные восемьсот лет назад.

— Стихи Руми?

При упоминании этого имени человек поклонился. Пауло сел на пол.

— А как мне обучиться постижению? Я прочел много его стихов, но не знаю, как применить их в жизни.

Хиппи

— Человек, который ищет духовности, мало сведущ, потому что читает лишь то, что относится к предмету его постижения и пытается напитать свой разум тем, что считает мудрым. Продай свои книги и купи безумие и помрачение — и ты немного приблизишься. Книги излагают мнения и результаты исследований, анализы и сравнения, меж тем как священный огонь безумия ведет нас к истине.

— Я не слишком отягощен книжным знанием. И пришел сюда в поисках опыта, в данном случае — постижения танца дервишей.

— Это — поиск познания, а не танец. Разум есть лишь тень Аллаха. Сколь немощна тень по сравнению с солнцем. Что может она? — Ничего. Выйди из тени, ступай к солнцу и прими его свет — он умудрит тебя лучше мудреных слов.

Хозяин показал туда, где метрах в десяти от его стула в комнату проникал солнечный луч. Пауло направился к этому месту.

— Поклонись солнцу. Позволь ему затопить твою душу, ибо знание — это иллюзия, а экстаз — реальность. Знание переполняет нас чувством вины, экстаз позволяет нам приобщиться к Тому, кто был Мирозданием до его возникновения и пребудет им после разрушения. Знание — это все равно что умываться песком, когда рядом есть ручей с прозрачной водой.

В эту самую минуту из динамиков на верхушках минаретов полились звуки, заполнившие весь город, и Пауло понял, что настало время молитвы. Он замер, подняв лицо к солнцу, луч которого был виден из-за пляшущих в нем пылинок, и по звукам за спиной догадался, что человек, говоривший с французским акцентом, опустился на колени, обратившись в сторону Мекки и принялся молиться. Сам он попытался очистить голову от всего, опустошить ее, что было довольно просто — на стенах комнаты не было никаких украшений, даже каллиграфически выведенных, похожих на картины, изречений из Корана. Он находился в пустоте — вдалеке от своей отчизны, от друзей, от всего, что знал и что только хотел узнать, от добра и зла. Исчезло все. Осталось только «здесь» и «сейчас».

Он поклонился, а когда поднял голову и открыл глаза, увидел, что солнце разговаривает с ним — ничему не пытаясь учить, а просто затопляя своим светом все вокруг.

Возлюбленный мой, свет мой, пусть душа твоя пребывает в постоянном поклонении. В любой миг ты можешь покинуть этот край и вернуться к своим, ибо не пришло еще время все отринуть. Однако Высший Дар под названием Любовь сдела-

ет тебя орудием Моих слов — слов, хоть и не произнесенных, но внятных тебе.

Безмолвие может научить, если сумеешь погрузиться в Великую Тишину. Безмолвие может быть передано словами, ибо таков удел его, но когда это случается, не пытайся что-либо объяснять — пусть люди почитают Тайну.

Ты хочешь стать путником на дороге Света? Научись сперва шагать в пустыне. Разговаривай с сердцем, ибо слова по большей части случайны и хотя нужны тебе, чтобы общаться с другими людьми, не позволяй себя обмануть смыслам и объяснениям. Люди слышат лишь то, что хотят услышать, а потому никогда никого не старайся убедить — а просто следуй своей стезей без страха. Или — если не можешь перебороть страх — иди с ним, но только не сворачивай.

Ты хочешь добраться до небес и дойти до меня? Научись парить на раскинутых крыльях: одно из них — дисциплина, другое — милосердие.

Соборы, церкви, мечети заполнены людьми, которые боятся того, что происходит вне стен их храмов, боятся — и в конце концов попадают в зависимость от мертвых слов проповеди и молитвы. А мой храм — это весь мир, и ты не выйдешь из него. Оставайся в нем, даже если станет невмоготу, даже если другие люди начнут смеяться над тобой.

Говори с людьми и никого не пытайся убедить. Ни за что не соглашайся брать учеников, не приближай к себе тех, кто поверит твоим словам, ибо в тот же самый миг они перестанут внимать и верить голосу своего сердца, а меж тем это — единственное, что надо слушать.

Идите вместе, упивайтесь жизнью, радуйтесь ей, но — на некотором отдалении друг от друга, чтобы одному не пришлось поддерживать другого, ибо падение — непременная часть пути, так что каждый должен научиться вставать сам.

С минаретов больше не доносилось ни звука. Пауло не знал, долго ли он разговаривал с солнцем — передвинувшийся луч освещал то место в отдалении, где он сидел прежде. Пауло обернулся — человека, приехавшего издалека для того лишь, чтобы открыть для себя все, что открыли бы ему и горы его родины, уже не было. Он остался в комнате один.

Пора было уходить, потому что его мало-помалу охватывал священный огонь Безумия. Пауло никому не собирался объяснять, где был, и надеялся, что блеск его глаз — он чувствовал его — вскоре немного потускнеет и не привлечет к нему излишнего внимания.

Потом зажег курильницу — одну из двух, стоявших возле стула — и вышел. Закрыл за собой дверь, зная, что для тех, кто пытается перешагивать пороги, двери открыты всегда. Стоит лишь повернуть ручку.

Сотрудница французского новостного агентства не скрывала своего недовольства редакционным заданием — ей поручили взять интервью у нескольких хиппи — подумать только, хиппи!! — оказавшихся в Турции по пути в Азию, откуда навстречу им шел поток людей, алчущих богатства и широких возможностей Европы. Журналистка не питала предубеждения ни к тем, ни к другим, но сейчас, когда телетайпы беспрестанно извергали новую и новую информацию о конфликтах на Ближнем Востоке, о междоусобной розни в Югославии, о Греции, стоящей на пороге войны с Турцией, о курдах, требующих автономии (президент Турции не знал, что ему делать в такой ситуации, а Стамбул превратился в настоящее шпионское гнездо, где роились агенты КГБ и ЦРУ), когда король Иордании подавил мятеж палестинцев, а те пообещали отомстить — впору было спросить себя, какого дьявола делает она в этом третьеразрядном отеле?

Подчиняется приказу. Она получила по телефону подтверждение от водителя этого «Волшебного автобуса» — опытного и симпатичного англичанина, который тоже не понимал, чем вызван интерес иностранной прессы к его подопечным, но сообщил, что будет ждать журналистку в вестибюле отеля и постарается сделать все, чтобы помочь ей.

В холле никого не было, кроме парня, похожего на Распутина, еще одного мужчины лет пятидесяти, который совсем не тянул на хиппи, и совсем молоденькой девушки.

— Вот он ответит на ваши вопросы, — сказал водитель, показывая на второго. — Тем более, что он говорит по-французски.

Это обстоятельство и облегчало задачу, и ускоряло ее выполнение. Для начала познакомились (имя — Жак; возраст — 47 лет, место рождения — Амьен/Франция; род занятий — бывший директор ведущей косметической компании; семейное положение — разведен).

— Как вы, наверно, уже знаете, я собираю материал для репортажа по заказу агентства Франс-Пресс... Об этом движении, зародившемся, насколько мне известно, в Соединенных Штатах...

Она чуть было не сказала «и состоящем из богатых маменькиных сынков, которые с жиру бесятся от безделья».

— ...и охватившем как некое поветрие всю планету.

Жак кивнул, а журналистка опять прикусила язык, чтобы не добавить: «но, главным образом, в тех странах, где сосредоточены основные капиталы».

— Что конкретно вас интересует? — спросил он, уже раскаиваясь, что согласился на интервью и завидуя своим товарищам, которые в это самое время гуляли по Стамбулу и развлекались.

— Ну, мы знаем, что это движение свободно от предрассудков и зиждется, так сказать, на наркотиках, на рок-музыке, исполняемой при огромном стечении народа на открытом воздухе, причем во время концертов этих происходит черт знает что, на странствиях по всему свету, на полном пренебрежении ко всем, кто отстаивает идеалы и борется за более справедливое и свободное общество...

— Например.

— Например, к тем, кто пытается освободить угнетенные народы, кто осуждает произвол, принимает участие в классовой борьбе, где люди проливают свою кровь и жертвуют жизнью ради того, чтобы социализм — единственное будущее человечества — из утопии превратился в близкую реальность.

Жак снова кивнул — совершенно бессмысленно отвечать на провокации такого рода: возражая, он добьется лишь того, что его первый и бесценный день в Стамбуле будет загублен окончательно.

— ...они отличаются очень свободными взглядами и еще более свободными нравами — и мужчины средних лет не стесняются показываться на улице в обществе девушек, годящихся им в дочери...

Жак хотел пропустить мимо ушей и это, но не успел — в разговор вмешалась еще одна участница.

— Девушка, годящаяся ему в дочери — как я понимаю, вы имели в виду меня? — это и в самом деле его дочь. Нас не представили друг другу — меня зовут Мари, мне двадцать лет, родилась в Лизьё, изучаю политологию, обожаю Камю и Симону де Бовуар. Музыкальные пристрастия — Дейв Брубек, Грейтфул Дэд, Рави Шанкар. Сейчас пишу курсовую работу о том, как в социалистическом раю (*aka* Советский Союз), за который многие жертвовали жизнью, людей теперь угнетают так же свирепо и жестоко, как и в тех странах третьего мира, где Америка, Англия или Бельгия установили диктаторские режимы. Что еще добавить?

Журналистка, едва не поперхнувшись, поблагодарила за это разъяснение, на минутку задумалась, правда ли это, решила, что правда, попыталась скрыть свое изумление и наконец заключила, что это может стать гвоздем ее материала: бывший директор крупной французской компании на каком-то этапе экзистенциального кризиса решает все бросить и, взяв дочку, отправляется странствовать по свету, не принимая в расчет, как рискованно это может быть для девочки — уже девушки, правильней сказать. Слишком рано повзрослевшей, если судить по ее речам. Эта пара сумела сбить журналистку с толку, и теперь ей требовалось перехватить инициативу.

— Вы пробовали наркотики?

— Естественно. Марихуану, настой галлюциногенных грибов, кое-какие синтетические препараты — но они на меня плохо действуют — и ЛСД. Никогда не употребляла героин, кокаин или опиаты.

Журналистка покосилась на Жака, но тот слушал с непроницаемым видом.

— Разделяете ли вы принцип свободной любви?

— С тех пор, как изобрели противозачаточные таблетки — да. Почему бы и нет?

— И практикуете?

— Ну, это вас не касается.

Отец, видя, что дело идет к конфликту, решил сменить тему:

— Мы ведь собирались поговорить о хиппи? Вы отлично определили нашу философию. Что вас еще интересует?

«Нашу? Нашу философию?» Пятидесятилетний человек считает ее своей?

— Меня интересует, почему вы едете в Непал на автобусе? Насколько я могу судить по кое-ка-

ким деталям — одежде и прочему — у вас хватило бы денег, чтобы полететь на самолете.

— Потому что для меня главное — само путешествие. Знакомство с людьми, которых никогда не встретишь в первом классе лайнера «Эр
Франс», где мне приходилось бывать, и где люди
не разговаривают друг с другом, даже если две-
надцать часов сидят в соседних креслах.

— Но ведь существуют...

— Да, конечно, есть автобусы более комфор-
табельные, чем этот, переделанный из школьного,
с отвратительными рессорами и жесткими сиде-
ниями. Вы ведь это хотели сказать? Так уж вышло,
что в моем предыдущем воплощении, ну, то есть,
в бытность мою директором по маркетингу, я был
знаком со всеми людьми, с которыми мне полагалось быть знакомым. И сказать по правде, все
они были неотличимо похожи друг на друга —
та же ревность, те же интересы, та же погоня за
роскошью... и все разительно отличались от тех,
кого я встречал в детстве, когда помогал отцу пахать поле под Амьеном.

Журналистка в явной растерянности принялась листать свой блокнот. Трудно оказалось
иметь дело с этими двоими.

— Что вы ищете?

— Я тут приготовила кое-какие материалы
о хиппи...

— Но вы ведь прекрасно передали самую суть — секс, рок-музыка, наркотики, странствия.

Французу удалось разозлить ее сильней, чем она сама ожидала.

— Вы думаете, что этим все исчерпывается. Но на самом деле есть еще многое другое...

— Многое? Так просветите нас, потому что когда дочка, сумевшая понять, как я несчастен, пригласила меня совершить это путешествие, я не успел узнать все в подробностях.

Журналистка сказала, что в сущности уже выяснила все, что хотела, а про себя подумала: «Придумаю что-нибудь сама, все равно никто не узнает», однако Жак оказался очень настойчив. Спросил, не желает ли она чаю или кофе («кофе, пожалуй, я видеть больше не могу этот переслащенный мятный чай»), а если кофе, то какой именно: по-турецки или обычный («по-турецки, раз уж нас занесло в Турцию, и в самом деле глупо отцеживать гущу, она улучшает вкус»).

— Так вот, мне кажется, мы с дочкой заслуживаем, чтобы нас немного просветили. В частности, нам неизвестно происхождение слова «хиппи», — он явно насмехался над журналисткой, но та сделала вид, что не заметила и решила двигаться дальше. Ей до смерти хотелось кофе.

— Мне тоже неизвестно. Однако если мы хотим быть истыми французами и попытаться определить все, сама идея жизни, сочетающей секс, вегетарианство, свободную любовь и жизнь коммуной, родилась в Персии и принадлежит человеку по имени Маздак. Мы мало знаем о нем. Но поскольку от нас все чаще и чаще требуют писать об этом движении, кто-то из моих коллег нашел его истоки в древнегреческой философии киников или циников.

— Как-как? Циников?

— Именно так. Но ничего общего с нынешним значением этого слова их учение не имеет. Диоген, самый известный его представитель, утверждал, что следует отрешиться от всего, что навязывает нам общество — а мы все воспитаны так, что требуем больше, чем нам требуется — и вернуться к первоначальным ценностям, то есть жить в соответствии с законами природы, довольствоваться малым, радоваться каждому новому дню и решительно отвергать все, к чему нас готовили — власть, богатство, жажду наживы и тому подобное. Единственная цель жизни — освободиться от всего ненужного и научиться обретать радость в каждой прожитой минуте, в каждом вздохе. Если верить легенде, Диоген жил в бочке.

К ним подошел водитель. Хиппи, похожий на Распутина, наверно, понимал по-французски, потому что уселся на пол и внимательно слушал. Принесли кофе. Журналистка вдохновилась и продолжила свою лекцию. Взаимное отчуждение вдруг исчезло, и француженка оказалась в центре внимания.

— Его идеи не были отринуты и с пришествием христианства: монахи удалялись в пустыню, ища там мира в душе и контакта с Богом. И так продолжается по сей день, благодаря усилиям известных философов вроде американца Торо или Ганди — борца за независимость Индии. Упрощайте, говорят все. Упрощайте — и будете счастливей.

— Но как же все это внезапно превратилось в моду, в манеру одеваться и вести себя, в стремление быть циником в современном значении, то есть не верить ни левым, ни правым?

— Вот этого я не знаю. Говорят, все началось с грандиозных рок-концертов — как в Вудстоке, например. Еще говорят, повлияли некоторые музыканты вроде Джерри Гарсии и «Грейтфул Дэд» или Фрэнка Заппы и «Мазерз оф Инвеншн» — это они стали устраивать бесплатные шоу в Сан-Франциско. Я у вас хотела выяснить.

Француженка взглянула на часы и поднялась.

— Простите, мне пора. У меня сегодня еще две встречи.

Она собрала свои листки, оправила одежду.

— Провожу вас до дверей, — сказал Жак. Он больше не испытывал к журналистке враждебности — в конце концов, она просто старалась как можно лучше выполнить свои профессиональные обязанности, а вовсе не задавалась целью наговорить гадостей людям, у которых брала интервью.

— Да не стоит. И еще не стоит винить себя за то, что сказала ваша дочь.

— Провожу все-таки.

Они вышли вместе. Жак спросил у нее, где находится рынок пряностей — он и не думал ничего покупать, но ему хотелось вдохнуть аромат трав и специй: кто знает, доведется ли еще когда-нибудь?

Журналистка показала ему дорогу и, ускорив шаги, направилась в противоположную сторону.

По пути на рынок Жак, много лет продававший людям товары, которые им не нужны, и каждые полгода обязанный по должности разворачивать рекламные кампании ради внедрения «нового продукта» думал, что стамбульскому департаменту туризма следовало бы работать получше: француза совершенно восхитили и заворожили узкие улочки, вереница мелких лавок, кафе. Время здесь словно остановилось — если судить по интерьерам, по одежде людей и по усам. Почему большинство турок носит усы?

Он невзначай установил причину, когда завернул в бар, знававший, по всей видимости, лучшие времена и выдержанный в стиле «ар-нуво»: такое заведение можно отыскать лишь в самых изысканных и потаенных уголках Парижа. Он решил выпить вторую за день чашку кофе по-турецки, который подавали в медном ковшичке с длинной деревянной ручкой: прежде ему такие кофейники видеть не приходилось. Жак надеялся, что к вечеру бодрящий эффект пройдет, и кофе не вгонит его в бессонницу. В баре было почти безлюдно — кроме него самого, там был лишь один посетитель — и хозяин, поняв, что перед ним иностранец, завел с ним разговор.

Спросил про Францию, Англию, Испанию, рассказал историю своего «Кафе де ла Пэ», осведомился, как понравился гостю Стамбул («я тут совсем недавно, но мне кажется, что люди много теряют, не бывая здесь»), большие мечети и Большой базар («я вчера приехал и еще нигде не был»), а потом принялся превозносить достоинства сваренного им кофе, пока Жак не прервал его:

— Я заметил одну любопытную здешнюю особенность, хотя, может быть, и ошибаюсь. По крайней мере, в этой части города все мужчины носят усы — вот и вы тоже. Это у вас такая традиция? Если не хотите — не отвечайте.

Однако хозяин ответил — и с нескрываемым удовольствием:

— Безмерно рад, что вы обратили внимание: кажется, вы первый иностранец, который спрашивает меня об этом. А меж тем здесь частенько бывают иностранцы, у меня такой великолепный кофе, что крупные отели рекомендуют мое заведение всем своим постояльцам.

Не спрашивая разрешения, он подсел за столик к Жаку и велел своему помощнику — совсем юному безусому пареньку — подать мятного чаю.

Кофе и мятный чай. Кажется, в этой стране существуют только эти напитки.

— Связано с религией?

— Я?

— Не вы, а ношение усов.

— Ни в коей мере! Это связано с тем обстоятельством, что мы — мужчины. И нам присущи честь и чувство собственного достоинства. Эту истину внушил мне отец, который носил необыкновенно выхоленные усы и говорил: «Когда-нибудь и ты заведешь себе такие». Он-то и объяснил мне, что во времена моего прадеда, когда проклятые англичане и, простите, французы стали теснить нас к морю, надо было определить, куда двигаться дальше. А поскольку в каждом батальоне было полно шпионов, решили узнавать своих по условному знаку, то есть, по усам. Форма их определяла, как человек относится к реформам, которые проклятые англичане и — еще раз извините! — французы тщились нам навязать. Это был, разумеется, не тайный знак, но, так сказать, демонстрация своих убеждений.

И мы отращивали усы с той поры, когда начался закат славной оттоманской империи, и людям требовалось понять дальнейшее направление. Те, кто ратовал за реформы, носили усы в форме буквы «М». Те, кто против, — в форме перевернутого «U».

— А те, кто ни за, ни против?

— Те брились. Но иметь такого в семье считалось позором: их и за мужчин не считали.

— И сейчас так?

— Кемаль Ататюрк, что значит в переводе «Отец всех турок», воитель, сумевший покончить с эпохой воров, сменявших друг друга на троне, куда сажали их европейские державы, иногда носил усы, а иногда избавлялся от них. И этим сбивал всех с толку. Однако укоренившиеся традиции трудно забыть. И кроме того — возвращаясь к началу нашего разговора — что плохого, если человек демонстрирует символ своей мужественности? Разве не то же самое происходит у животных и птиц?

Ататюрк. Отважный солдат, который сражался на Первой мировой войне и не допустил вторжения в Турцию, сверг монархический строй, упразднил Оттоманскую империю, отделил религию от государства (мало кто думал, что это возможно) и, что было всего важней для проклятых англичан и французов, отказался подписать с Антантой унизительный мир, как поступила Германия, тем самым невольно посеяв семена нацизма. Когда компания Жака задумала снова покорить эту империю, используя на этот раз обольщение и хитрость, он видел портреты этого человека — крупнейшего и популярнейшего политического деятеля современной Турции — но никогда не обращал внимания, что кое-где Ататюрк запечатлен бритым, а замечал лишь, что когда он все же в усах, они имеют форму не «M» и не «U», а подстрижены щеточкой до углов рта, как принято на Западе.

Боже милостивый, подумал Жак, какая прорва полезных сведений об усах и о заключенном в них тайном смысле. Он спросил, сколько с него за кофе, но хозяин денег не взял, сказав: «Заплатите в другой раз».

— Многие арабские шейхи приезжают к нам вживлять себе усы, — сказал он на прощанье. — Лучше наших усов в целом мире нет.

Жак еще поговорил бы с хозяином, но тот извинился и поспешил к клиентам, которые стали собираться к обеду. Он все же уплатил по счету, поданному безусым юношей, и вышел, благодаря в душе дочку, буквально выпихнувшую его на пенсию — очень недурную, кстати. А что если он вернется, вновь выйдет на службу и расскажет коллегам о разновидностях турецких усов? Все, конечно, сочтут, что это очень забавно и экзотично, но — не более того.

Он шел в сторону рынка и думал: «Почему я никогда-никогда не мог заставить родителей бросить хоть ненадолго поля в Амьене и постранствовать по свету?» Поначалу они отговаривались тем, что нужны деньги, чтобы дать хорошее образование ему — единственному сыну. Когда же он стал специалистом по маркетингу — отец и мать даже слова такого не слышали — принялись отговариваться иначе: вот как кончится работа, так и поедут отдыхать, ну, если не сейчас, то в следующий раз, хотя каждый крестьянин знает, что природа не замирает ни на миг и отпусков не дает, и работа не кончается, а сельский труд — сев, и пахота, и жатва — чередует тяжкие труды, где проливается много пота, с тоскливым и скучным ожиданием, когда же сменится цикл.

На самом деле родители Жака и не помышляли о путешествиях, потому что весь окружающий мир страшил их — они боялись заблудиться на незнакомых улицах неведомых городов, заполненных спесивыми насмешниками, которые с первого слова различат деревенский выговор. Да нет, лучше уж не трогаться с насиженного места, благо оно уготовано каждому в этом мире, и закон этот следует соблюдать неукоснительно.

В детстве и в отрочестве Жака это доводило до отчаяния, и ему не оставалось ничего иного, как попытаться выполнить план, им же самим придуманный — найти хорошую работу (нашел), удачно жениться (в 24 года удалось и это), посмотреть мир (получилось, и он в конце концов смертельно устал от бесконечной вереницы аэропортов, отелей и ресторанов, меж тем как жена терпеливо ждала его дома, пытаясь заполнить свою жизнь чем-то еще, кроме воспитания дочери), сделать карьеру, заняв высокую должность, потом отойти от дел и вернуться в родную сельскую глушь, чтобы окончить свои дни там же, где начал.

Теперь, по прошествии стольких лет оглядываясь назад, он понимал, что можно было бы и отсечь все лишние промежуточные звенья, однако беспокойный нрав и неуемная любознательность толкали его вперед, к нескончаемым часам работы, которая сначала нравилась, а потом — именно когда он взлетел наверх — стала ему ненавистна.

Можно было еще немного выждать и уйти в свой срок. Он успешно поднимался по служебной лестнице, жалованье его утроилось, дочь Мари — ее воспитанием он занимался в перерывах между бесконечными командировками — начала изучать в университете политологию, завела себе возлюбленного и переехала к нему. А жена в конце концов развелась с ним, потому что сочла свое супружество совершенно бессмысленным, и теперь жила в одиночестве.

Почти все его идеи, касающиеся маркетинга (и само понятие, и профессия были теперь в большой моде), принимались с ходу, хотя порой и оспаривались не в меру бойкими стажерами, желавшими выделиться: но Жак быстро привык к этому и научился подрезать крылья нахальным птенцам. Бонусы по итогам года, зависевшие от прибылей компании, росли неуклонно. Теперь, вернув себе холостой статус, он чаще стал бывать «в обществе», где без труда знакомился и заводил романы с привлекательными дамами, проявлявшими к нему не вполне бескорыстный интерес: его косметическая фирма служила ему наилучшей рекомендацией, и возлюбленные неизменно давали понять, что хотели бы фигурировать на рекламных фотографиях, но Жак не говорил ни «да», ни «нет». Время шло, те, кто искал выгоды, уходили, те, кто питал к нему искреннее чувство, желали выйти за него замуж, однако он уже спланировал свое будущее: еще десять лет поработает — и выйдет на пенсию мужчиной в полном расцвете сил, с большими деньгами и возможностями. И снова начнет странствовать по свету, но теперь уже поедет в Азию, где никогда прежде не бывал. Постарается постичь и усвоить все, что захочет показать ему дочь Мари, с которой к этому времени его уже связывала крепкая дружба. Они вместе мечтали, как отправятся на берег Ганга, в Гималаи, в Анды и в Ушуайю возле Южного полюса. Все это, разумеется, когда он выйдет на пенсию. А Мари, само собой, получит диплом.

Однако два события перевернули их жизнь.

Первое произошло 3 мая 1968 года. Жак ждал Мари в своем рабочем кабинете, — она обещала зайти за отцом, чтобы вместе ехать домой — как вдруг заметил, что она опаздывает уже больше, чем на час. Тогда он оставил ей записку на рецепции (компании принадлежало несколько зданий, и то, в котором размещался кабинет Жака, находилось в фешенебельном центре Парижа возле церкви Сен-Сюльпис) и вышел, решив дойти до метро в одиночку.

И тут увидел, что Париж горит. Небо заволокли клубы черного дыма, отовсюду слышался вой сирен, и первая мысль Жака была — русские бомбят его город!

Но его тотчас отшвырнула к стене группа молодых людей, которые бежали по улице и, прижимая к лицу мокрые тряпки, выкрикивали: «Долой диктатуру!» и еще что-то — Жак сейчас уже не помнил, что именно. Появившиеся следом полицейские в боевой экипировке бросали гранаты со слезоточивым газом. Кое-кто из юнцов спотыкался и падал, немедленно попадая под удары дубинок.

Глаза стало жечь и щипать от газа. Жак не понимал, что происходит. Надо было кого-то спросить, но сейчас самое главное — найти Мари. Где она может быть? Он попытался пройти к Сорбонне, но на подступах к университету шли настоящие уличные бои между силами «охраны порядка» и парнями, похожими на банду анархистов из какого-то фильма ужасов. Горели автомобильные покрышки, в полицейских летели булыжники и «коктейли Молотова», уличное движение, разумеется, прекратилось. Новые порции слезоточивого газа, громче крики, гуще летели камни, вывернутые из мостовой, чаще мелькали полицейские дубинки над телами избиваемых. Где же Мари?

Где моя дочь?

Лезть в самую гущу схватки было бы ошибкой — если не самоубийством. Лучше вернуться домой, ждать звонка от Мари и надеяться, что это все скоро минет.

Руководствуясь в жизни иными устремлениями, Жак никогда не принимал участия в сту-

денческих манифестациях, но на его памяти ни
одна не продолжалась дольше нескольких часов.
Надо было терпеливо ждать звонка Мари и мо-
лить Бога, чтобы звонок этот последовал. Они
с дочкой живут в стране воплощенного благопо-
лучия, в стране, где молодые люди получают все,
что пожелают, а взрослые знают, что если будут
усердно трудиться, без особых проблем получат
в свой срок хорошую пенсию и смогут по-прежнему пить лучшее в мире вино, есть блюда лучшей
в мире кухни и спокойно, ничего не опасаясь, ходить по самому красивому в мире городу.

Мари позвонила далеко за полночь: Жак сидел
перед телевизором, где два канала продолжали работать, передавая и анализируя, анализируя и передавая все, что днем случилось в Париже.

— Папа, не волнуйся. Со мной все хорошо.
Но говорить не могу — я должна освободить телефон: тут рядом со мной человек... В общем, я
потом тебе все объясню.

Жак попытался было что-то спросить, но она
уже дала отбой.

Он провел бессонную ночь. Манифестации
продолжались много дольше, чем он мог предпо-
ложить. «Говорящие головы» на телеэкране были
удивлены не меньше, потому что все это грянуло
совершенно неожиданно, и мало что предвещало
такое развитие событий, однако пытались демон-

Хиппи

стрировать спокойствие и объясняли столкновения студентов с полицией, то и дело прибегая к помощи пышно изъясняющихся социологов, политиков, аналитиков, иногда — правоохранителей, и совсем редко — студентов.

От пережитого волнения он без сил повалился на диван. А когда открыл глаза, был уже белый день, и пора было идти на службу, однако телевизор — так всю ночь и проработавший — предупредил, что лучше сегодня не выходить из дому, потому что «анархисты» заняли университетские аудитории, станции метро, перекрыли улицы и парализовали уличное движение. Иными словами, как выразился кто-то из комментаторов, попрали фундаментальные права всех граждан.

Он позвонил на работу, но никто не снял трубку. Тогда он связался с головным офисом, и незнакомый сотрудник, которому пришлось провести там ночь, потому что он жил в предместье и никак не мог добраться до дому, сказал ему, что сегодня по городу лучше не передвигаться: на службу вышли всего несколько человек, живших рядом со штаб-квартирой компании. Жак попросил неизвестного передать трубку начальнику, но тот, как и многие другие, предпочел остаться дома.

Меж тем, вопреки ожиданиям, накал противостояния не спадал — а скорее наоборот: когда полиция пошла на крайние меры, ситуация обострилась.

Сорбонна, символ французской культуры, была захвачена; профессора либо изгнаны, либо примкнули к студентам. Созывались митинги, и обсуждаемые там вопросы либо немедленно отвергались, либо тотчас проводились в жизнь, сообщало телевидение: оно теперь отзывалось о мятежных студентах с большей симпатией.

Все окрестные магазины были закрыты — за исключением одного, принадлежавшего какому-то индусу, где выстроилась длинная очередь покупателей. Жак, терпеливо стоя среди них, слушал их разговоры: «Почему бездействует правительство? — Мы содержим полицию на наши налоги — зачем она нужна, если не в силах справиться? — Во всем виноваты коммунисты. — Во всем виновато образование, которое мы даем нашим детям, а они теперь считают себя вправе отвергать все, чему мы их учили».

И прочее, в том же роде. И только одного никто не в силах был объяснить — почему же все это случилось. «Еще не знаем».

Прошел первый день.

За ним второй.

Завершилась первая неделя.

Положение становилось все более напряженным.

Хиппи

Квартира Жака на невысоком холме Монмартра находилась в трех остановках метро от его офиса, и он, стоя у окна, откуда неотрывно высматривал на улице дочку, видел, как стелется дым от горящих покрышек, слышал, как завывают сирены. Мари появилась через трое суток, быстро приняла душ, взяла кое-что из его вещей — ее одежда осталась в другой квартире — наскоро перекусила и снова ушла, повторив: «Потом все объясню».

И то, что Жак поначалу счел скоропреходящим явлением, краткой вспышкой ярости, охватило всю страну — была объявлена всеобщая забастовка, рабочие захватили большую часть заводов и удерживали в заложниках их владельцев, подобно тому, как студенты неделю назад захватили университеты.

Франция оцепенела. И дело теперь было уже не в студентах, которые, кажется, сменили лозунги и теперь потрясали транспарантами «Свободная любовь!», «Долой капитализм!», «Требуем открыть границы для всех!» или «Буржуа, вы ничего не понимаете!»

Дело было во всеобщей забастовке.

О происходящем Жак узнавал только из телевизора. К своему удивлению и стыду он услышал однажды, что после двадцати дней кромешного

Пауло Коэльо

ада президент Франции генерал Шарль де Голль, тот, кто организовал Сопротивление нацистам, а впоследствии прекратил колониальную войну в Алжире, кто неизменно вызывал всеобщее восхищение, заявил наконец своим согражданам, что намерен провести референдум ради «культурного, социального и экономического обновления». И в том случае, если результаты будут не в его пользу, — уйти в отставку.

То, что он предлагал, было пустым звуком для рабочих, глубоко безразличных к свободной любви, к открытым границам и к прочему в том же роде. Они думали только об одном — о существенной прибавке жалованья. Премьер-министр Жорж Помпиду встретился с лидерами профсоюзов, с троцкистами, с анархистами, с социалистами, и лишь с этой минуты острота кризиса пошла на убыль — потому что когда все силы сошлись лоб в лоб, оказалось, что каждая преследует собственные цели, только их считая справедливыми и обоснованными.

Жак решил выйти на манифестацию в поддержку Де Голля. Вся Франция завороженно наблюдала за происходящим. Марш, прошедший едва ли не по всем городам страны, собрал множество людей и заставил тех, кто начал «анархию» (так Жак для краткости называл череду этих событий), отступить. Были подписаны новые трудовые соглашения. Студенты, которым нечего было теперь отстаивать, начали возвращаться в университетские аудитории, окрыленные ощущением победы, на самом деле не значащей ничего.

В конце мая или в начале июня (он точно не помнил) Мари наконец вернулась домой и сказала, что они добились всего, чего хотели. Жак не стал спрашивать, чего же они хотели, а объяснять дочь не стала: она казалась усталой, подавленной и разочарованной. Рестораны уже открылись, и они пошли поужинать при свечах, и за столом избегали говорить о недавней буре: Жак не мог признаться, что участвовал в манифестации в ПОДДЕРЖКУ правительства — и всерьез воспринял лишь ее слова:

— Мне тяжко здесь. Хочу поездить по миру, а потом поселиться где-нибудь вдалеке.

Потом Мари все же отказалась от своей идеи, заявив, что «сначала надо окончить университет», и Жак понял, что победу одержали те, кто ратовал за Францию процветающую и конкурентоспособную. Истинных бунтарей нисколько не заботит высшее образование и диплом.

С того времени он прочел тысячи страниц, на которых философы, политики, издатели, журналисты объясняли и оправдывали майские события. Ссылались на закрытие университета в Нантере[1], случившееся в самом начале месяца, однако это не могло ни объяснить, ни оправдать всплеск ярости, так поразившей Жака, когда он стал свидетелем тех событий.

И ни разу ни единая строчка не заставила его воскликнуть: «Ах, так вот из-за чего разгорелся весь сыр-бор!»

Вторым — и решающим — событием, так преобразившим жизнь отца и дочери, стал обед в одном из самых роскошных парижских ресторанов, куда он водил особо важных клиентов, которые при благоприятных условиях могли бы покупать его продукцию для своих стран. В самой Франции май 1968 года уже остался позади, но пламя перекинулось на другие части света. Никто не хотел поднимать эту тему, и если какой-нибудь иностранный клиент отваживался все же затронуть ее, Жак деликатно переводил разговор на другое, уверяя, что «газеты вечно делают из мухи слона».

Тем все и кончалось.

Жак неустанно пользовался своими приятельскими отношениями с хозяином ресторана —

---

[1] В Нантере, одном из крупнейших пригородов Парижа, расположен т. н. Университет Париж X Нантер, в мае 1968 года ставший центром студенческих волнений.

они с ним были на «ты» и называли друг друга по имени — что было частью плана и производило немалое впечатление на гостей. Официанты сопровождали их от дверей к «его столику» (и откуда им было знать, что в зависимости от того, сколько народу в зале, столик этот каждый раз оказывается другим), немедленно наливали каждому по бокалу шампанского, а потом подавали меню, выслушивали заказы, уточняя: «Вино подать *ваше*, не правда ли?», и Жак кивал, и разговоры всегда были одинаковы (он неизменно осведомлялся, не хотят ли новоприбывшие посетить «Лидо», «Крейзи Хорс» или «Мулен Руж», и приходилось только дивиться, что Париж в глазах иностранцев ужался до трех кабаре). О делах на деловом ужине он начинал говорить только в самом конце, когда всех обносили прекрасными кубинскими сигарами и согласовывались последние детали сделки с гостями, считавшими себя очень важными персонами, хотя на самом деле все контракты уже были подготовлены в департаменте продаж, и их требовалось только подписать.

И в тот день все поначалу шло как обычно. После того, как все сделали заказ, гарсон повернулся к Жаку и осведомился: «Как всегда?»

Как всегда означало — начать с устриц. Их полагалось глотать живыми, а поскольку большинство гостей были иностранцы, это вызывало у них ужас. За устрицами следовали *escargots* — знаменитые улитки. За улитками — блюдо с лягушачьими лапками.

Никто за столом не решался отведать эти яства, а Жаку только того и было надо. Это было частью его *стратегии маркетинга*.

Все закуски подали одновременно. На стол поставили блюдо с устрицами, и гости ждали, что будет теперь. Он окропил устрицу лимонным соком, она к удивлению и ужасу присутствующих шевельнулась. Потом положил ее в рот и позволил ей проскользнуть в желудок, покуда он наслаждался солоноватой водой, всегда остававшейся в раковине.

А через две секунды почувствовал, что задыхается. Попытался усидеть на стуле, но не смог — свалился на пол и, видя над собой потолок с хрустальными люстрами — наверно, из Чехословакии — понял, что умирает.

Все вокруг поменяло цвет, сделавшись черно-красным. Жак хотел приподняться — за свою жизнь он съел десятки, сотни, тысячи устриц — но тело не повиновалось ему. Хватал ртом воздух — и не мог вдохнуть его.

Потом был кратчайший миг острой тревоги — и Жак умер.

Хиппи

Он внезапно стал плавно парить под потолком, видя, как внизу суетятся, расступаются люди, и гарсон-марокканец бежит в сторону кухни. Видел он все это не очень ясно и отчетливо, а словно через прозрачную пленку или сквозь толщу чистой воды, вдруг оказавшейся между ним и миром. Исчез страх да и вообще всякие чувства: всеобъемлющий покой заполнил пространство и время — да, и время, потому что оно еще оставалось. Люди внизу двигались как в замедленной съемке, замирали как на стоп-кадрах. Марокканец вернулся с кухни, и все исчезло, кроме белой пустоты и покоя — столь полного, что он казался почти осязаемым. Жак чувствовал себя младенцем в утробе матери — ему не хотелось покидать ее.

Но вдруг чья-то рука вцепилась в него и потащила вниз. Он упирался, потому что наконец-то мог насладиться тем, за что боролся и чего ждал всю свою жизнь — спокойствием, любовью, музыкой, любовью, спокойствием. Однако рука тянула с такой неимоверной силой, что противиться ей он не мог.

И первое, что он увидел, когда открыл глаза, было лицо хозяина ресторана, и на лице этом тревога мешалась с удовлетворением. Сердце у Жака колотилось, его сильно тошнило, но он сумел побороть позыв к рвоте. Он был весь в холодном поту, и один из гарсонов укрыл его скатертью.

— Где это ты раздобыл такой чудесный пепельный цвет лица и такую роскошную синюю помаду? — спросил хозяин.

Недавние сотрапезники Жака, которые столпились вокруг, тоже были явно напуганы, но теперь вздохнули с облегчением. Он сделал попытку приподняться, но хозяин не дал:

— Лежи, лежи. Такое происходит не в первый раз и, боюсь, не в последний. А потому рестораторов обязали иметь у себя набор первой помощи — бинты, йод, дефибриллятор на случай остановки сердца, адреналин — его-то мы тебе и вкололи. У тебя есть телефон кого-нибудь из близких? Мы вызвали «скорую», но ты уже вне опасности. Медики тоже попросят у тебя телефон родственников или друзей, а если таковых не имеется, надеюсь, домой тебя сопроводит кто-нибудь из твоих гостей.

— Это — устрицы? — таковы были первые слова Жака.

— Да нет, конечно! Наши продукты всегда — высочайшего качества. Но мы не знаем, чем эти устрицы питались, прежде чем сами стали закуской... Что бы ни досаждало этой красотке при жизни, вместо того, чтобы вырастить из этого жемчужину, она решила отправить на тот свет тебя.

Хиппи

Что же это было?

В этот миг появились санитары и, как ни твердил он, что отлично себя чувствует, и все прошло, уложили его на носилки. Жак решил не противиться и помалкивать. Его спросили, есть ли у него телефон какой-нибудь родни. Он продиктовал номер дочери, и это был добрый знак: следовательно, голова у него ясная.

Фельдшер измерил артериальное давление, попросил, не двигая головой, одними глазами проследить за светом фонарика, потом дотронуться указательным пальцем до кончика носа, и Жак послушно делал все, что ему говорили, мечтая только поскорее выбраться из этой истории. Ему не нужна никакая клиника, хотя он платит огромные деньги из своих налогов как раз для того, чтобы здравоохранение в его стране было бесплатным и отличного качества.

— Мы оставим вас на ночь. Чтобы понаблюдать, — сказал фельдшер, покуда Жака несли к машине скорой помощи у входа: вокруг уже собралась кучка зевак, очень довольных тем, что ближнему может быть хуже, чем им. Что поделаешь — таково уж свойство природы человеческой.

Уже по дороге в больницу (ехали, не включив сирену, что Жак счел хорошим признаком) он снова спросил, не в устрице ли было дело. Фельдшер, сидевший рядом, повторил слова хозяина ресторона: «Нет. Будь это пищевое отравление, симптомы проявились бы не сразу, а спустя какое-то время — может быть, через несколько часов».

— А что же тогда?

— Аллергия.

Он попросил растолковать, и опять ему подтвердили мнение ресторатора: неизвестно, чем питалась эта устрица. Как уберечься от этого, не знает никто, а вот справляться — научились. Называется эта напасть «анафилактический шок». Фельдшер, вовсе не желая пугать Жака, рассказал, что аллергия проявляется совершенно неожиданно. «Вот, к примеру, вы с детства едите гранаты — и без малейшего вреда для здоровья, а потом в один несчастный день в считанные минуты умираете от нескольких зернышек, потому что в вашем организме вдруг произошла какая-то необъяснимая реакция. Или вот, скажем, человек годами работает у себя в саду: все растения остались теми же, что были всегда, пыльца не изменила свои свойства — и вдруг ни с того, ни с сего начинается кашель, болит горло, потом шея, он считает, что простудился и хочет войти в дом, но чувствует, что не может шевельнуться. И это не горло болело, а произошло сужение трахеи, что выясняется уже, так сказать, *troppo tardi*[1]. Подоб-

---

[1] Слишком поздно (*итал.*)

ное может быть вызвано реакцией на безобидные, казалось бы, вещества, с которыми мы имеем дело всю жизнь. Всего опасней, пожалуй, насекомые, но это не значит, что мы должны постоянно опасаться пчел, к примеру. Не бойтесь. Как правило, аллергии не страшны и случаются в любом возрасте. Страшен только анафилактический шок — вот как у вас — а прочие проявления вроде насморка или крапивницы, когда кожа зудит и покрывается красными пятнами — это пустяки.»

Приехали в клинику. В приемном отделении, у стойки регистрации их ждала Мари. Она уже знала, что если бы отцу вовремя не оказали помощь, его не было бы сейчас в живых, но что такое случается крайне редко. Больного повезли в палату — не общую, а отдельную, потому что Мари уже успела сообщить номер страховки.

Жака переодели в больничную пижаму: Мари второпях забыла привезти домашнюю. Появившийся врач посчитал пульс — нормальный, а вот давление оказалось немного повышенным, но он объяснил это стрессом, пережитым за последние двадцать минут. Попросил Мари не засиживаться у пациента, тем более, что завтра он уже будет дома.

Дочь придвинула стул к кровати, взяла Жака за руки, а тот неожиданно расплакался. Сначала по щекам у него потекли слезы, но потом все тело его стало сотрясаться от неудержимых рыданий, становившихся все сильней, и он даже не пытался справиться с собой, понимая, что это — необходимая разрядка. Он плакал, а Мари ласково похлопывала его по рукам: она впервые видела отца в слезах и потому была слегка напугана, хотя и испытывала облегчение от того, что все, кажется, обошлось.

Неизвестно, как долго это продолжалось. Постепенно рыдания стали стихать, а Жак — успокаиваться, как будто пролитые слезы избавили его от тяжкого бремени. Мари подумала, что теперь ему надо поспать и хотела осторожно высвободить руку, но Жак удержал ее:

— Не уходи. Мне нужно кое-что рассказать тебе.

Она, как бывало в детстве, когда слушала сказки, положила голову ему на колени. Он погладил ее по волосам.

— Ты знаешь, что уже совсем здоров и завтра сможешь пойти на службу?

Да. Он знал это. Пойдет на службу — но не к себе в офис, а в штаб-квартиру компании. Нынешний глава ее, с которым они когда-то начинали вместе, дал знать, что желает видеть его.

— Я хочу сказать тебе вот что: я умер на несколько мгновений, или минут, или навсегда —

ощущение времени были потеряны, потому что все происходило страшно медленно. И вот в какой-то миг меня будто обволокла, окутала энергия любви, какой я никогда прежде не чувствовал. Я словно бы оказался...

Голос его дрогнул, как бывает, когда человек борется с подступающими рыданиями. Жак справился с собой и продолжал:

— ...оказался в присутствии Божества. А ты ведь знаешь — я никогда в жизни ни во что не верил. Ни во что и ни в кого. И в католическую школу отдал тебя лишь потому, что она была близко от дома и там прекрасно учили. Умирая от скуки, я ходил к мессе, и это наполняло душу твоей мамы гордостью, а твои соученики и их родители видели во мне своего. Но на самом деле я шел на жертву ради тебя.

Он продолжал гладить ее по голове — никогда раньше ему не доводилось спросить дочь, верит ли она в бога. Судя по всему, Мари уже давно не была истовой католичкой, потому что всегда одевалась крайне экстравагантно, водилась с косматыми юнцами, слушала музыку, совсем непохожую на песни Далиды или Эдит Пиаф.

— Я всегда все умел планировать наперед и выполнять все намеченное в срок. В скором времени я собирался на пенсию — и ее хватило бы, чтобы жить в свое удовольствие. Однако планы мои изменились в те мгновенья, минуты или годы, когда Бог держал меня за руку. И когда я вернулся в ресторан, и лежал там распростертый на полу и видел над собой встревоженное лицо хозяина, пытавшегося казаться спокойным, я понял, что никогда больше не стану жить прежней жизнью...

— Но ведь ты любишь свою работу.

— Любил настолько, что сумел стать в своем деле лучшим. А вот теперь собираюсь завтра же уволиться, сохранив об этом самые отрадные воспоминания. И хочу тебя попросить об одном одолжении...

— Сделаю все, что хочешь... Ты всегда был отцом, который учит не столько наставлениями, сколько личным примером.

— О том и речь... Я учил тебя много лет, а теперь хочу, чтобы ты меня поучила. Хочу, чтобы мы вместе отправились странствовать по свету, хочу увидеть такое, чего никогда прежде не видел, всмотреться повнимательней в ночную тьму и в утренний свет. Возьми отпуск и поедем со мной. Попроси своего парня — пусть проявит понимание, запасется терпением — и поедем.

Потому что я должен омыть и тело свое, и душу в водах неведомых рек, выпить то, чего еще никогда не пробовал, поглядеть на горы, которые видел только по телевизору, дать проявиться той любви, что испытал сегодня, пусть хоть на минуту в год. Хочу, чтобы ты провела меня в свой мир. Я не буду тебе обузой и докучать не стану, и когда ты сочтешь, что мне надо уйти — уйду. А когда решишь, что могу вернуться — вернусь, и мы еще поездим вместе. Повторяю — я хочу, чтобы ты вела меня.

Мари сидела неподвижно. Ее отец не только вернулся в мир живых, но и отыскал дверь или окно в ее собственный мир — тот, который она никогда не осмеливалась разделить с ним.

Оба они жаждали Бесконечного. И утолить эту жажду было просто — всего лишь дать ему проявиться. И для этого не требовалось ничего, кроме сердца и веры, дающей силу, которая проникает всюду и несет с собой то, что алхимики называют *Anima Mundi* — Мировой Дух.

Жак остановился перед рынком, в ворота которого заходило больше женщин, чем мужчин, больше детей, чем взрослых, больше женских головных платков, чем мужских усов. До него доносился сильный запах — букет различных ароматов, которые смешались в один, возносились к небесам и возвращались на землю, принося вместе с дождем благословение и радугу.

Когда они встретились в номере, чтобы переодеться в выстиранное накануне и пойти ужинать, голос Карлы прозвучал на удивление нежно.

— Где же ты шатался весь день?

Она никогда прежде не спрашивала об этом: по мнению Пауло, такие вопросы его мать могла бы задавать отцу или давние партнеры — друг другу. Ему не хотелось отвечать, а Карла не стала допытываться.

— Наверно, искал меня на рынке, — со смехом сказала она.

— Сначала пошел следом, но потом передумал и вернулся туда, где был прежде.

— У меня есть предложение, от которого ты не сможешь отказаться — мы будем ужинать в Азии.

Нетрудно было догадаться, что она имеет в виду — перейти мост между двумя континентами. Но «Волшебный автобус» и так скоро совершит этот переезд, так к чему же торопить события?

— К чему? К тому, что когда-нибудь смогу рассказать такое, во что никто не поверит! Я выпила кофе в Европе и через двадцать минут входила в ресторан в Азии, с намерением съесть все, что там есть хорошего.

Идея и впрямь была неплоха. Пауло тоже мог бы когда-нибудь удивить приятелей. И они не поверят, и решат, что мозги у него вконец рассохлись от наркотиков — но какая разница?! Можно сказать, что он и в самом деле принял наркотик, который постепенно начал оказывать действие: это произошло днем, когда в пустом Культурном центре, где стены выкрашены в зеленый цвет, он снова встретил обитавшего там человека.

Карла, наверно, купила на рынке какую-то косметику, потому что вышла из ванной подведя глаза и брови, чего раньше никогда не делала. Новым для Пауло было и то, что она постоянно улыбалась. Сам он подумал, не побриться ли — обычно он носил небольшую остроконечную бородку, скрывавшую его чересчур выпирающий подбородок, а щетину снимал регулярно, при первой возможности, иначе его мучили ужасные воспоминания о днях, проведенных в тюрьме. Однако он не сообразил купить лезвия, а последнее он выбросил еще до того, как они въехали на территорию Югославии. Делать было нечего: он натянул купленный в Боливии свитер, надел джинсовую куртку с заклепками в виде звезд — и они вышли из номера.

Никого из своих спутников они в холле отеля не встретили, если не считать водителя, читавшего газету. Они спросили, как им перейти мост, ведущий в Азию. Шофер улыбнулся:

— Я так и знал. Когда я впервые попал сюда, сделал то же самое.

И объяснил, где сесть на автобус («не вздумайте идти пешком!») посетовав, что забыл название чудесного ресторана на другом берегу Босфора, где как-то раз обедал.

— Ну, что там слышно в мире? — спросила Карла, кивнув на газету.

Водитель тоже несколько удивился, увидев, что на губах у нее — не только помада, но и улыбка. Что-то явно изменилось.

— Стало немного потише. Для палестинцев, которые — как тут пишут — составляют большинство в стране и готовили государственный переворот, этот месяц навсегда останется «Черным Сентябрем». Так они его называют. За исключением этого, все нормально. Впрочем, я звонил в компанию, и они предложили нам, не трогаясь с места, дождаться дальнейших инструкций.

— Ну и прекрасно, мы никуда не спешим. Нам предстоит открыть для себя Стамбул — а это целый неведомый мир.

— Вам надо посмотреть Анатолию.

— Все в свое время.

По пути к остановке автобуса Пауло заметил, что Карла держит его за руку, будто они в самом деле пара, хотя это вовсе не так. Они болтали на общие темы, радовались, что на небе сияет полная луна, и нет ни ветра, ни дождя — словом, идеальные условия для задуманного ужина.

Хиппи

— Я угощаю! — заявила она. — И мне ужасно хочется выпить!

Автобус въехал на мост, и они в почтительном молчании, словно совершая религиозное таинство, двинулись через Босфор. Выскочили на первой же остановке, пошли вдоль кромки Азии, где стояли пять или шесть ресторанчиков с пластиковыми скатертями на столиках. Они зашли в первый же. И стали созерцать расстилавшуюся перед ними панораму города, где памятники, в отличие от Европы, не были подсвечены — эту задачу взяла на себя луна, заливавшая их волшебным сиянием.

Появившийся официант приготовился принять заказ. Они ответили, что хотят попробовать местную кухню и полагаются на его вкус. Официант явно не привык к такому:

— Но я должен знать, что вы хотите... Здесь обычно все знают, чего хотят.

— Хотим самого лучшего. Такой ответ вас устроит?

Устроил, разумеется. И официант перестал возражать и принял как факт, что пара иностранцев доверяют его выбору. Что, конечно, налагает на него большую ответственность, но и льстит его самолюбию.

— А что будете пить?

— Самое лучшее местное вино. Только не европейское — мы ведь в Азии.

Впервые в жизни они ужинали вдвоем и впервые — в Азии.

— К сожалению, мы не подаем спиртное. Ислам запрещает.

— Но ведь Турция — светская страна?

— Наш хозяин — человек верующий.

Они могли бы пойти в заведение в двух кварталах отсюда и получить там искомое. Но зато потеряли бы этот волшебный вид на Стамбул в лунном свете. Карла спросила себя — сможет ли она сказать все, что хочет, не выпив ни капли. Для Пауло вопрос бы ясен — без вина, так без вина.

Покуда официант ставил в центр стола красную свечу в металлическом стаканчике и зажигал ее, Карла и Пауло хранили молчание, будто впитывая окружающую красоту и хмелея от нее.

— Ну, давай поговорим... Ты сказал, что пошел к рынку, чтобы встретить меня, но тут же передумал. И слава богу, потому что на рынке я не была. Завтра мы пойдем туда вместе.

Карла сегодня была совсем не такая, как всегда, до странности размягченная и нежная. Что с ней? Кого-нибудь встретила и теперь ей не терпится поделиться?

— Начни ты. Ты сказал, что пойдешь искать место, где проводится какая-то религиозная церемония. Нашел?

— Нашел. Хоть и не вполне то, что искал.

Хиппи

— Я знал, что ты вернешься, — сказал безымянный человек, снова увидев перед собой юношу, одетого ярко и пестро. — Думаю, ты получил сильное впечатление, потому что само это место заряжено энергией танцующих дервишей. Впрочем, замечу кстати, любое место на Земле отмечено присутствием Бога: оно ощущается и в насекомых, и в любой песчинке — словом, везде...

— Я хочу изучать суфизм. Мне нужен наставник.

— Тогда ищи Истину. Постарайся все время быть на ее стороне, даже если она будет причинять тебе боль, каменно молчать или говорить не то, что ты хочешь услышать. Это и есть суфизм. Все прочее — не более чем священные обряды, призванные лишь усилить состояние экстаза, а тебе, чтобы выполнять их, придется принять ислам, чего я тебе искренне делать не советую — потому что нельзя становиться приверженцем религии только ради каких-то ритуалов.

— Но ведь кто-то же должен вести меня по дороге истины.

— Это не суфизм. Тысячи книг были написаны о дороге истины и ни одна не объясняет точно, что это такое. Во имя Истины род человеческий совершил самые гнусные свои преступления. Одни люди сжигали других заживо, разрушали до основания целые цивилизации... Тех, кто грешил плотью, изгоняли... Тех, кто искал свой путь, оттесняли на обочину. Одного из них во имя «истины» распяли на кресте. Но перед смертью он успел дать великое определение Истины. Нет, это не то, что в наших глазах непреложно. И не то, что открывает нашим глазам глубины бытия. И не то, что делает нас лучше прочих. И не то, что держит нас в темнице предрассудков. «Истина — это то, что делает нас свободными. Познайте Истину, и она дарует вам свободу», сказал Иисус.

Он помолчал и продолжил:

— Суфизм — это не более чем средство сделать тебя зорче, встряхнуть и обновить твой разум и душу, дать понять, что словами нельзя описать абсолют и бесконечность.

Принесли заказ. Карла точно знала все, что скажет Пауло, как знала и то, что, когда придет ее черед говорить, ее слова будут ответом на его.

— Поедим молча? — спросила она.

И вновь Пауло удивился ее нежной сдержанности — прежде она бы поставила в конце этой фразы восклицательный знак.

Да, они не разговаривали за ужином. Ели, поглядывая то на небо, откуда над водами Босфора сияла полная луна, то на лицо сотрапезника, озаренное свечой. И сердца их взрывались, как бывает, когда двое посторонних друг другу внезапно встречаются и, перейдя в другое измерение, оказываются не порознь, а — вместе. Чем больше позволяем мы себе принимать от мира, тем больше и получаем — будь то любовь или ненависть.

Но в эти минуты не было ни того, ни другого. Не было ни внезапного озарения, не чтилась никакая традиция, позабылись и священные тексты, и логика, и философия. Исчезло все.

Они были в пустоте — и она, вопреки своей природе, заполняла все.

Они не спрашивали, как назывались блюда, которые им подали — маленькими порциями на многочисленных тарелочках. Пить местную воду они не отважились и попросили лимонада — это было безопасней, хотя и гораздо менее интересно.

Пауло не выдержал и задал вопрос, весь вечер не дававший ему покоя и грозивший испортить ужин:

— Ты сегодня совсем другая. Словно повстречала кого-то и влюбилась. Это так? Не хочешь — не говори.

— Так. И повстречала, и влюбилась. Только он еще об этом не знает.

— Ты об этом хотела мне рассказать?

— Об этом. Когда ты докончишь свою историю. Или уже все?

— Нет, не все. Но до конца ее рассказывать не надо, потому что она еще не кончилась.

— Мне хотелось бы услышать остальное.

Карлу не разозлил его вопрос, и Пауло постарался сосредоточиться на еде — какой мужчина станет слушать о том, что женщина, в обществе которой он находится, кого-то там встретила и полюбила? Всякому надо, чтобы она была здесь и только здесь — за ужином при свече, при лунном сиянии над городом и Босфором.

Он начал пробовать понемножку от каждого блюда — нечто, похожее на равиоли... виноградные листья, начиненные рисом... йогурт... пресные свежевыпеченные лепешки... фасоль... кусочки мяса на шпажках... подобие пиццы — но в форме лодочки с маслинами и специями... Казалось, этот ужин будет длиться вечно. Однако, к их удивлению, еда довольно скоро исчезла — слишком она была вкусной, чтобы позволить ей остыть и потерять аромат.

Официант собрал пластиковые тарелки и спросил, можно ли подавать основное блюдо.

— Ни в коем случае! Мы уже наелись до отвала!

— Но его уже готовят, и остановиться нельзя.

— Мы заплатим за него, но только, ради бога, больше ничего не надо приносить, иначе мы просто не сможем выйти отсюда.

Официант засмеялся. И они тоже. Ветер переменился и донес до них что-то новое, и все вокруг заполнилось какими-то непривычными запахами, заиграло иными красками.

Но теперь это не имело отношения ни к луне, ни Босфору, ни к мосту — только к прожитому ими обоими дню.

— Можешь завершить свою историю? — спросила Карла: она раскурила две сигареты и одну протянула ему. — Мне до смерти хочется рассказать тебе о своем дне и о том, как я встретила себя саму.

Вероятно, в ком-то обрела родственную душу. На самом деле Пауло уже потерял к этому всякий интерес, но он сам попросил ее рассказать, придется выслушать.

В мыслях он опять оказался в том зеленом зале с обнажившимися потолочными балками под щербатым куполом и с разбитыми витражами — когда-то, наверно, они были истинными произведениями искусства. Солнце уже зашло, внутри стоял полумрак, пора было возвращаться в отель, но Пауло настойчиво повторил:

— Но ведь у вас у самого наверняка был наставник.

— У меня их было трое — и ни один не был приверженцем ислама или знатоком стихов Руми. Покуда я учился, сердце мое спрашивало у Господа: я — на верном пути? Он отвечал: да. Я допытывался: а кто ты, Господи? Он отвечал: ты.

— И кто же были они, эти наставники?

Безымянный человек раскурил синий кальян и, выпустив одно за другим несколько облачков дыма, передал Пауло. Тот сделал то же самое.

— Первый был вором. Однажды я заплутал и лишь поздно ночью добрался до дому. Ключи я оставил у соседа, но не решился тревожить его в такой час. И тут появился этот человек, я попросил его помочь, и он открыл дверь в мгновение ока.

Я был так восхищен, что попросил научить этому искусству и меня. Он признался тогда, что зарабатывает себе на жизнь, обворовывая людей, однако я был так благодарен ему, что пригласил его переночевать.

Он прожил у меня месяц. Каждый вечер выходил из дому со словами: «Иду на промысел, а ты продолжай медитировать и молиться». Когда он возвращался, я всякий раз спрашивал, удалось ли раздобыть чего-нибудь? И неизменно слышал в ответ: «Сегодня — ничего, но завтра, бог даст, повезет больше».

Хиппи

Я ни разу не видел, чтобы он досадовал или раздражался из-за неудач. И в те долгие месяцы и годы моей жизни, когда я медитировал и медитировал — и все впустую, и мне никак не удавалось установить связь с Богом, ощутить его присутствие, мне неизменно приходили на память слова этого жулика: «Сегодня — ничего, но завтра, бог даст, повезет больше». И это придавало мне сил идти дальше.

— А кто был вторым?

— Пес. В тот день мне очень захотелось пить, и я направился к реке, как вдруг появился этот пес. Он тоже страдал от жажды. Но, подойдя к берегу, увидел в воде другую собаку — свое отражение. Испугался, отпрянул, залаял, чтобы прогнать ее. Безуспешно, сам понимаешь. Но когда жажда стала нестерпимой, он решил встретить опасность грудью, бросился в воду — и в этот миг отражение исчезло.

Безымянный человек помолчал немного и повел свой рассказ дальше:

— И, наконец, третьим был маленький мальчик. Он шел к мечети с зажженной свечой в руке. Я спросил: «Ты сам зажег свечу?» «Да», ответил он. Я всегда беспокоюсь, когда дети играют с огнем, и сказал: «Дитя мое, поначалу свеча не горела. Откуда же взялся огонь, воспламенивший ее?»

Он засмеялся, дунул на нее и спросил, полуобернувшись ко мне: «А вы можете сказать, куда исчез огонь, только что дрожавший на кончике фитиля?»

И тут я понял всю меру своего неразумия. Кто возжигает огонь мудрости? Куда он исчезает? Мне стало понятно, что, подобно этой свече, мы несем в своем сердце священный огонь и не знаем, кто и когда возжег его. С того дня я стал внимательней приглядываться к тому, что окружало меня — к облакам и деревьям, рекам и лесам, мужчинам и женщинам. И все учило меня тому, что необходимо было знать в данную минуту, и бесследно исчезало, когда я больше не нуждался в этом. Так что за жизнь у меня были тысячи наставников.

Я постепенно уверился в том, что огонь горит, когда он нужен тебе; я был и остаюсь учеником самой жизни. Я научился извлекать уроки мудрости из самых незамысловатых и неожиданных вещей — вроде тех сказок, что родители рассказывают своим детям на ночь.

И потому почти вся совокупность суфийской мудрости — не в священных текстах, а в притчах и сказках, в молитве, в танце, в созерцании.

Снова ожили громкоговорители на верхушках минаретов — муэдзины созывали верующих на последнюю за день молитву. Обратившись в сторону Мекки, безымянный человек преклонил колени и тоже вознес молитву. Когда же она была завершена, Пауло спросил, можно ли ему будет завтра прийти сюда еще раз.

— Разумеется, — ответил тот. — Но больше того, чему захочет научить тебя сердце, ты не постигнешь. Ибо у меня есть для тебя лишь истории да то место, куда ты сможешь приходить всякий раз, как захочешь безмолвия. Если, конечно, в это время мы не исполняем там наши священные танцы.

Пауло повернулся к Карле:

— Теперь твой черед.

Она знала об этом. Уплатила по счету, и они зашагали к берегу пролива. С моста долетали автомобильные гудки и рев моторов, но эти звуки были бессильны испортить впечатление от прелести лунной ночи над Босфором.

— Сегодня я несколько часов просидела на другом берегу, глядя, как струится вода. Вспоминала, как жила до сегодняшнего дня и мужчин, которых знавала... Казалось, так я буду вести себя всегда. Но я устала от самой себя.

И я спросила — почему же я такая? И одна ли я такая или есть другие люди, не наделенные даром любить? В моей жизни было много мужчин, готовых ради меня на все, но я не любила никого из них. Порой мне казалось, что вот он — мой волшебный принц, но чувство это длилось недолго, и уже очень скоро мне становилось невыносимо рядом с этим человеком, как бы внимателен, ласков и нежен он ни был. Я не вдавалась в пространные объяснения, а говорила все как есть — а они чего только ни пробовали, чтобы снова завоевать меня... Все было впустую. Стоило разлюбленному прикоснуться к моей руке в попытке оправдаться — и меня передергивало от омерзения.

Были и такие, кто грозил покончить с собой — по счастью, угрозами все и ограничивалось. Я никогда не ревновала. На каком-то этапе моей жизни, пройдя грань двадцати лет, я подумала, что больна. Верность была мне чужда органически — я заводила любовников, даже когда была связана с мужчинами, готовыми ради меня на все. Я познакомилась с одним психиатром — или психоаналитиком, сейчас уж не помню — и мы с ним поехали в Париж. Вот он-то и заметил это — впервые — и тут же посыпались рекомендации: тебе нужно обследоваться... полечиться... в организме не хватает какого-то вещества, которое вырабатывают железы... Вместо лечения я вернулась в Амстердам.

Как ты, наверно, догадываешься, мне ничего не стоит обольстить мужчину. Но, добившись своего, я тут же теряю к нему интерес. Отсюда и моя затея с Непалом: я думала, что никогда не вернусь оттуда, а буду стареть, взращивая в душе любовь к Богу — но, признаюсь тебе, я пока только воображаю себе эту любовь... и не вполне уверена, что она во мне есть.

Так или иначе, я не нашла ответа на этот вопрос, не захотела обращаться к врачам, а решила просто исчезнуть из этого мира и посвятить жизнь созерцанию. И — ничему больше.

Потому что жизнь, лишенная любви, ничего не стоит. Что это такое? Бесплодное дерево. Сон без сновидений. Порой. А порой — невозможность уснуть. Это — день за днем ждать, когда солнечный луч скользнет в черную, наглухо закрытую комнату: ты знаешь, что от этого замка есть ключ, но не желаешь отпереть дверь и выйти оттуда.

Голос ее начал подрагивать, словно от подступающих слез. Пауло придвинулся к ней и хотел обнять, но Карла отстранилась.

— Это еще не все. Я всегда умела очень искусно манипулировать людьми и оттого так поверила в себя и в свою исключительность, что говорила себе самой: я безраздельно отдам себя только тому, кто сумеет меня укротить. И такой мне до сих пор не встретился.

Она обернулась к нему, и в глазах у нее вместо так и непролившихся слез блеснули искры.

— Почему ты оказался здесь, в этом сновиденном месте? Потому что я этого захотела. Потому что мне был нужен спутник, и я решила, что ты подходишь на эту роль идеально при всех твоих закидонах — ты танцевал с кришнаитами, притворяясь свободным человеком, ты пошел в Дом Восходящего солнца, чтобы показать свою отвагу, хотя на самом деле это — глупость. Согласился съездить на мельницу — подумать только, на мельницу! — так, будто собирался взглянуть на каналы Марса.

— Ты же настояла.

На самом деле Карла не настаивала, а всего лишь предложила, но, видимо, предложения ее обычно воспринимались как приказания. Она не стала ничего объяснять и продолжала:

— И именно в тот день, когда мы вернулись с мельницы и направились по моим — и только моим делам: покупать билет до Непала — я поняла, что влюблена. Никаких событий не произошло, тот день ничем не отличался от предыдущего, ничего такого не было ни сказано, ни сделано... абсолютно ничего. Но я влюбилась. Хоть и знала, что как и раньше, как всегда, любовь моя будет недолгой — ибо ты совершенно не тот, кто мне нужен.

Хиппи

Я решила подождать, пока само пройдет. Но — не проходило. Более того — когда начались разговоры с Миртой и Райаном, я стала ревновать. Мне приходилось раньше испытывать зависть, ярость, неуверенность — но ревность? В моем мире не было места этому чувству. Мне казалось, что вы должны уделять все внимание мне, такой независимой, такой красивой, такой умной и такой решительной. Так что, я решила, что ревность моя объяснялась не твоим интересом к другой женщине, а тем, что в центре внимания оказалась не я.

Карла сжала его руку.

— А сегодня утро, глядя на реку и вспоминая ту ночь, когда мы плясали вокруг костра, я вдруг поняла, что это — не страсть и не влюбленность. Это любовь. Даже после нашей близости прошлой ночью, когда ты оказался никуда не годным любовником, я продолжаю любить тебя. И когда сидела на берегу пролива, я продолжала любить тебя. Я знаю, что люблю тебя — и что ты меня любишь. И что мы можем провести остаток жизни вместе — будь то в пути, в Непале или в Рио, или на необитаемом острове. Я люблю тебя и нуждаюсь в тебе.

И не спрашивай, зачем я все это говорю. Я никогда никому такого не говорила, и ты знаешь, что говорю я правду. Я люблю тебя и не желаю искать объяснений своему чувству.

Она повернула к нему голову, ожидая, что Пауло поцелует ее. Он и поцеловал — но как-то странно, и сказал, что пора бы уж в Европу, в отель: день сегодня выдался трудный, бурный, с сильными чувствами и потрясениями.

Карле стало страшно.

А Пауло — еще страшней: по правде говоря, он пережил с ней чудесное приключение — там были минуты истинной страсти, минуты, когда он хотел бы вечно быть рядом с ней, но все это уже миновало.

Нет, он не любил ее.

Путешественники завтракали, делясь впечатлениями и строя планы. Карла уже не в первый раз появлялась здесь одна, а когда ее спрашивали о Пауло, говорила, что он хочет использовать каждую секунду, чтобы постичь танцующих дервишей, и потому по утрам встречается с теми, кто учит и наставляет его.

«Памятники старины, мечети и прочие чудеса Стамбула могут подождать, — сказал он мне. — Никуда не денутся. А вот то, чему я учусь, может со дня на день сгинуть без следа».

Попутчики приняли это к сведению. В конце концов, насколько они знали, Пауло и Карла не были близки, хоть и делили один номер на двоих.

Хиппи

Когда вернулись из Азии, после ужина у них был поистине волшебный секс, и удовлетворенная Карла — вся в обильной испарине — была готова на все ради этого мужчины. Вот только говорил он с ней все реже и меньше.

Она не решалась задать хрестоматийный вопрос «ты меня любишь?», просто потому, что не сомневалась в этом. Ей хотелось теперь отрешиться хоть немного от своего себялюбия и отпустить его туда, где он встречался с этим французом и изучал суфизм — потому что это была единственная в своем роде возможность. Юноша, похожий на Распутина, пригласил ее в музей Топкапи, но она отказалась. Райан и Мирта звали ее с собой на рынок — они так увлеклись достопримечательностями, что чуть было не забыли о главном: как живут здесь люди? Что они едят? Что покупают? И Карла согласилась. Договорились, что пойдут завтра.

Но водитель сказал: либо сегодня, либо уже никогда. Беспорядки в Иордании удалось взять под контроль, так что наутро нужно отправляться в путь. Он попросил, чтобы Карла на правах подружки, любовницы или жены предупредила об этом Пауло.

Она сказала «ладно», хотя в прежние времена повторила бы слова Каина на вопрос об Авеле: «Разве сторож я брату своему?».

Путешественники, выслушав водителя, начали роптать. Что за дела? Разве не предполагалось провести в Стамбуле целую неделю? А теперь только третий день, поскольку день прибытия по справедливости в счет не шел — слишком все устали в пути.

— Нет, предполагалось — и предполагается по-прежнему, — что мы едем до Непала. Здесь мы остановились просто потому, что у нас не было выбора. И теперь нам следует быстро убираться, поскольку, если верить газетам и агентству, в котором я работаю, беспорядки могут начаться с минуты на минуту. Кроме этого, в Катманду этого автобуса ждут люди, собирающиеся обратно в Европу.

Водитель принял решение и менять его не собирался. Кто не будет готов выехать завтра в одиннадцать утра, пусть остается и пятнадцать дней ждет следующего автобуса.

Карла решила сходить на Большой базар с Райаном и Миртой. К ним присоединились Жак и Мари. Все видели, что Карла изменилась — в ней появилась какая-то легкость и мягкий внутренний свет, — но вслух никто ничего не говорил. Не иначе как эта девушка, всегда такая самоуверенная и решительная, влюбилась в тощего бразильца с бородкой.

Да, думала она, они наверняка заметили, что со мной что-то не так. Что именно — они не знают, но заметить заметили.

Как здорово, оказывается, уметь любить. Теперь-то она понимала, почему некоторые люди, — нет, почему весь мир придавал этому такое значение. С болью в сердце она думала о страданиях, что невольно причинила — но что же она могла поделать? Такова самая суть любви.

Любовь позволяет нам узнать наше предназначение на земле и наше призвание в жизни. Того, чьими действиями руководит любовь, будет вечно охранять тень доброты, он сумеет обрести покой в самые трудные моменты жизни и отдаст все, что имеет, не требуя ничего взамен, кроме самого существования возлюбленного, сосуда света, кубка плодовитости, сияния, озаряющего жизненный путь.

Только так и должно быть — и мир всегда был и будет щедр к тем, кто любит; зло в их присутствии будет обращаться в добро, ложь — в правду, а война — в мир.

Любовь побеждает угнетателя нежностью, утоляет жажду живой водой ласки, и денно и нощно держит открытыми двери, чтобы позволить войти свету и благословенному дождю.

Пауло Коэльо

Любовь заставляет время то ползти, то мчаться, никогда больше оно не идет так, как шло прежде — в однообразном, невыносимо однообразном ритме.

Карла менялась медленно, потому что настоящие перемены требуют времени — но она менялась.

Перед самым выходом к ней подошла Мари.

— Ты как-то говорила ирландцам, что у тебя есть ЛСД. Это правда?

Правда. Она обмакнула страничку «Властелина колец» в раствор лизергиновой кислоты, высушила на голландском ветру — и теперь это был просто отрывок какой-то главы из Толкиена. Обнаружить его было невозможно.

— Мне бы очень, вот очень бы хотелось попробовать. Прямо сегодня. Этот город меня потряс, теперь мне нужно взглянуть на него другими глазами. Ведь это так происходит?

Так и происходит. Только вот первый опыт может привести в рай, а может — в ад.

— Я все придумала. Мы сейчас идем на базар, я там как бы «потеряюсь» и вдали от всех, никого не беспокоя...

Она просто сама не понимает, что несет. Пережить первый кислотный трип в одиночку? Никого не беспокоя?

Карла мгновенно пожалела о своей откровенности. Зря она подтвердила, что у нее есть «кислотная страничка». Можно же было сказать француженке, что она просто не расслышала, что речь шла о персонажах книги, будто выдуманных под кислотой. Можно было сказать, что ей не хочется отягощать свою карму и приобщать кого бы то ни было к любым наркотикам. Можно было отказаться. Но как это сделать теперь, когда ее жизнь изменилась навсегда — ведь когда ты кого-то любишь, ты начинаешь любить весь мир...

Карла смотрела на девушку ненамного моложе ее годами, любопытную и бесстрашную, будто амазонка, древняя воительница, всегда готовая встретиться лицом к лицу с неизвестностью, опасностью и непохожестью — совсем, как она сама. То, с чем предстояло встретиться, пугало — но было прекрасно, точно так же, как прекрасно и пугающе было ощущать себя живой, знать, что в конце пути поджидает нечто, именуемое смертью, и вместе с тем продолжать жить, не думая об этом всякую минуту.

— Хорошо, идем. Но для начала я хочу, чтобы ты мне пообещала кое-что.

— Все, что угодно.

— Обещай, что ты ни разу, ни на секунду не отойдешь от меня. Существуют разные типы ЛСД, и тот, что у меня — самый из них мощный, твой первый опыт может оказаться как чудесным, так и чудовищным.

Мари рассмеялась. Голландка просто не представляет, с кем имеет дело, какие эксперименты она уже ставила над собой.

— Обещай, — настойчиво повторила Карла.

— Обещаю.

Их спутники совсем было направились к выходу, но у девушек всегда есть идеальное оправдание — «маленькие женские сложности». Погодите немножко, через десять минут мы уже будем тут.

Карла открыла дверь, тайно гордясь возможностью показать Мари свою комнату: одежду — выстиранную и развешенную на просушку, распахнутое, чтобы не застаивался воздух, окно и кровать — одинокую кровать с двумя тумбочками, разобранную, растерзанную, будто по комнате пронесся — он и в самом деле пронесся, — вихрь, повыметший старое и принесший новое.

Подойдя к рюкзаку, Карла вынула книгу, раскрыла на сто пятьдесят пятой странице и маленькими ножницами, с которыми была неразлучна, отрезала квадратик в полсантиметра.

Вручила Мари и велела разжевать.

— Вот это и все?

— Честно сказать, я собиралась дать тебе половину нормальной дозы. Но потом подумала, что половина может не сработать, так что даю тебе ровно столько, сколько прежде взяла бы себе.

Карла слукавила. Она дала Мари половину дозы, чтобы потом, попозже — в зависимости от реакции и поведения француженки, — дать ей возможность пережить этот опыт уже по-настоящему.

— Я говорю «прежде», потому что вот уже год, как не беру в рот ЛСД и не знаю, возьму ли когда-нибудь еще. Существуют другие, более действенные способы добиться такого же результата, хотя у меня пока не хватило терпения проверить их на себе.

— Какие, например? — Мари сунула бумажный квадратик в рот, так что, пути назад уже не было.

— Медитация. Йога. Всепоглощающая страсть. В таком роде. Все, что угодно, что заставляет нас взглянуть на мир, будто в первый раз.

— А скоро подействует?

— Не знаю. Зависит от человека.

Карла захлопнула книгу, спрятала ее обратно в рюкзак, девушки спустились, и вся группа направилась к Большому базару.

В рекламном буклете, который Мирта взяла со стойки портье, говорилось о том, что базар был построен в 1455 году неким султаном, отбившим

Константинополь у Папы Римского[1]. Во времена, когда Османская империя владела миром, люди приносили сюда товары, и базар рос и разбухал такими темпами, что потолки над ним приходилось постоянно поднимать и расширять.

Впрочем, чтение буклета абсолютно не подготовило группу к тому, что предстало их глазам — толпы людей, пробирающиеся по узким улочкам меж бесчисленных лавочек, фонтаны, рестораны, молельни, кафе, а также все — абсолютно все, — что можно найти в лучших французских магазинах: золотые украшения тончайшей работы, одежда всех стилей и цветов, обувь, всевозможные ковры, и рядом со всем этим заняты своим делом ремесленники, безразличные к прохожим.

Один из торговцев пожелал узнать, не интересует ли их антиквариат — по тому, как они глазели по сторонам, всякому было ясно, что перед ним туристы, как если бы это слово было написано большими буквами на лбу у каждого из них.

---

[1] Намеренно или случайно автор допускает здесь неточность: 29 мая 1453 года турки-османы под предводительством Мехмеда II Завоевателя захватили столицу Византии Константинополь и фактически уничтожили Византийскую империю, — папа Николай V (1397—1455) к этой истории никакого отношения не имел. Строительство Большого Базара в Константинополе началось сразу после захвата города *(прим. ред.)*.

— Сколько тут всего лавок? — спросил Жак у торговца.

— Три тысячи. Две мечети. Несколько фонтанов и бесчисленное количество мест, где вы сможете отведать лучшие блюда турецкой кухни. Но вот таких икон, как у меня, вы не найдете больше нигде.

Жак поблагодарил и пообещал заглянуть попозже — торговец знал, что это обычная отговорка и еще немного порасхваливал свой товар, но быстро понял, что зря тратит время и пожелал всем доброго дня.

— А вы знаете, что здесь побывал Марк Твен? — спросила Мирта, изрядно уже взмокшая и слегка перепуганная всем увиденным. Куда бежать, если вдруг начнется пожар? И где та крохотная дверь, через которую они сюда вошли? И как удержать их всех вместе, если всяк норовит уйти в свою сторону?

— И что он сказал?

— Он сказал, что не в состоянии описать увиденное, но что базар произвел на него куда большее впечатление, чем город. Он говорил о многоцветье, о невероятном количестве оттенков, о коврах, о людях, занятых беседой, о всем том, что выглядит так хаотически и в то же время как будто подчиняется какому-то четкому, но не поддающемуся формулированию порядку. «Если мне понадобится купить башмаки, — писал он, — мне не нужно переходить из лавки в лавку, сравнивая цены и фасоны, достаточно найти ряд, где торгуют башмачники, где никто ни с кем не конкурирует и не злится друг на друга, и где успешней тот, кто лучше умеет торговать[1]».

— Я не хотела вначале говорить, но этот базар пережил четыре пожара и землетрясение — не знаю, сколько народу погибло, в буклете ничего не было сказано о количестве жертв.

Карла заметила, что Мари не отрывает завороженного взгляда от потолков — от арок и сводов, — и улыбается так, будто бы у нее нет слов, кроме «какое чудо, какое чудо».

Они двигались не быстрее, чем километр в час. Стоило кому-то одному остановиться — останавливалась вся группа. А Карле срочно требовалось уединиться с Мари.

— Если так пойдет и дальше, мы не доберемся даже до угла следующего ряда. Может, разде-

---

[1] Вероятно, Мирта не совсем точно цитирует книгу «Простаки за границей или Путь новых паломников», где говорится «...в каждом ряду торгуют только каким-нибудь одним товаром. Если вам вздумалось купить пару туфель — вот они все перед вами, в одном ряду, вам незачем рыскать по всему базару» *(пер. с англ. Р. Е. Облонской и И. Г. Гуровой. — Прим. ред.).*

лимся, а встретимся вечером в отеле? Потому что к сожалению — к большому сожалению, — мы завтра отсюда уезжаем, и хорошо бы не терять сейчас оставшееся у нас время.

Это предложение было встречено с большим воодушевлением, и Жак тут же подошел к дочери, чтобы продолжить прогулку вместе с нею, но Карла его остановила.

— Я не могу тут бродить в одиночку. Позволь нам вдвоем немножко исследовать этот инопланетный мир.

Сама дочь на Жака даже не посмотрела и только бормотала, уставясь в потолок: «Какое чудо!» Не угостил ли ее кто-нибудь гашишем на входе? Впрочем, она уже достаточно взрослая и может позаботиться о себе сама, так что, Жак оставил ее с Карлой, с этой передовой девицей, вечно пытающейся показать, насколько она умней и культурней всех остальных, хотя эти два дня в Стамбуле немножко — самую капельку, — смягчили ее нёров и замашки.

Жак пошел по улочке и вскоре смешался с толпой. Карла крепко ухватила Мари за руку.

— Немедленно уходим отсюда.

— Но здесь так красиво. Только посмотри на эти цвета — какое чудо!

Но Карла ни о чем ее не спрашивала, она просто распорядилась — и теперь влекла Мари к выходу.

К выходу?

Где он — этот выход? «Какое чудо!» С каждой минутой Мари все больше погружалась в болезненное упоение и даже не реагировала на Карлу, которая металась от человека к человеку, раз за разом получая противоречивые указания. Потихоньку Карла начинала тревожиться всерьез — их путешествие через базар оказалось не слабее кислотного трипа, а если у Мари одно наложится на другое, никто не знает, куда это ее заведет.

Карла, к которой вернулась былая бесцеремонность и решительность, рыскала из стороны в сторону, но все никак не могла найти дверь, через которую они сюда вошли. На самом деле, не так важно было уйти тем же путем, каким они пришли, но следовало торопиться, дорога была каждая секунда — в спертом воздухе стоял запах пота, взмокшие люди продавали, покупали или торговались, не обращая внимания ни на что больше.

Наконец, Карле пришла в голову одна мысль. Если не бегать кругами в поисках выхода, а пойти прямо, никуда не сворачивая, то раньше или позже они упрутся в стену, отделяющую этот огромный храм потребления от внешнего мира. Она мысленно представила себе прямую линию, прося Господа (Господа?), чтобы этот путь оказался как можно короче. Пока они шли, дорогу им заступали бесчисленные торговцы, расхваливающие свои товары, но Карла попросту отталкивала их, даже не задумываясь, что кто-нибудь может толкнуть ее саму.

По пути им встретился молоденький мальчик с едва пробивающимися усиками — было похоже, что он только что вошел и теперь что-то искал. Вложив в просьбу весь свой шарм, все свое умение соблазнять и убеждать, Карла попросила его, чтобы он проводил их к выходу, поскольку у ее сестры приступ и она бредит.

Мальчик посмотрел на сестру и увидел, что она действительно пребывает в каком-то ином мире, бесконечно далеком от базара. Он хотел немного поговорить с Карлой, сказать ей, что здесь работает его дядя, который может помочь, но Карла умоляюще сказала, что им ничего не нужно, что она хорошо знает симптомы, и что достаточно вывести сестру на чистый воздух — и у той все пройдет.

С неохотой оттого, что сейчас ему придется навсегда распрощаться с двумя такими привлекательными девушками, мальчик проводил их к выходу, находившемуся метрах в двадцати от того места, где они встретились.

В то мгновение, когда нога ее ступила на уличные камни, Мари торжественно пообещала себе навсегда покончить с мечтами о революции. Никогда больше она не назовет себя коммунисткой, не скажет, что борется за свободу эксплуатируемого класса.

Да, она была одета как хиппи — но только потому, что девушке приятно время от времени выглядеть модно. Да, она отдавала себе отчет в том, что ее отец обеспокоился и принялся почти судорожно выяснять, что представляет из себя движение хиппи. Да, они ехали в Непал, но вовсе не затем, чтобы медитировать по пещерам или молиться по храмам, она была намерена наладить связь с маоистами, готовящими восстание против устарелого, как они думали, тиранического режима и свергнуть короля, безразличного к страданиям народа.

Все контакты ей передал в университете один маоист, добровольный изгнанник, приехавший во Францию в надежде привлечь внимание к нескольким убитым партизанам.

Но теперь это все не имело никакого значения. Они с голландкой шли по самой обычной, ничем не примечательной улице, но Мари казалось, что все вокруг — и голые стены домов, и угрюмые прохожие с опущенными глазами — наполнено особым смыслом, далеко выходящим за пределы понимания.

— Ты видишь, видишь?

— Я ничего не вижу, кроме твоей сияющей улыбки. Этот наркотик не был придуман для того, чтобы привлекать к себе внимание.

Зато Мари кое-что видела. Например, она видела, что ее спутница встревожена. Ничего не было сказано, даже тон голоса у голландки не изменился, но от нее исходили «флюиды». Мари всегда ненавидела слово «флюиды» и вообще не верила в эту чушь, но теперь вдруг обнаружила, что все это — чистая правда.

— Почему мы ушли из того храма?

Карла недоуменно покосилась на нее.

— Нет, я знаю, что мы не были ни в каком храме, я имею в виду, что он так выглядел. Я знаю, как меня зовут, знаю, как зовут тебя, знаю город, по которому мы идем — Стамбул, — знаю, куда мы должны приехать, но все кажется таким...

Она поискала подходящие слова.

— Все кажется таким незнакомым, как если бы я вышла за дверь и оставила позади весь привычный мир, всю тревогу, всю подавленность, все сомнения. Жизнь кажется проще и в то же время насыщеннее и радостней. Я свободна.

Карла почувствовала, что ее стало понемногу отпускать.

— И я вижу цвета, каких никогда прежде не видела, небо кажется живым, облака рисуют по нему символы, которых я не понимаю — ПОКА не понимаю, — но я уверена, что они пишут мне послание, которым я буду руководствоваться отныне и впредь. Я созвучна самой себе и больше не смотрю на мир снаружи — я сама стала миром. Во мне вся мудрость тех, кто жил до меня и оставил свой след в моих генах. Я слилась со всеми своими мечтами.

Они прошли мимо кафе, неотличимого от сотен таких же кафе в этой части города. Мари продолжала бормотать «какое чудо!», но Карла велела ей замолчать, теперь им предстояло зайти в относительно запретную зону — в место, где собирались только мужчины.

— Они понимают, что мы туристки и ничего, я надеюсь, нам не сделают, может даже не выставят нас отсюда. Но, ради бога, держи себя в руках.

Произошло именно так, как она предсказала. Они вошли, под изумленными взглядами завсегдатаев выбрали себе столик в углу, через какое-то время мужчины поняли, что они иностранки и не знают местных обычаев, и вернулись к прерванным беседам. Карла спросила мятного чая послаще — согласно легендам, сахар ослаблял галлюцинации.

Но Мари продолжала бредить. Она любовалась цветными аурами завсегдатаев, говорила, что может управлять временем и несколько минут болтала с душой некоего христианина, погибшего когда-то в битве на том самом месте, где теперь находилось кафе. Христианин пребывал в раю и наслаждался вечным блаженством, но был доволен оттого, что сумел вступить в контакт с человеком на земле. Он собирался попросить передать от него несколько слов матери, но узнав от Мари, сколько сотен лет прошло с момента его гибели — передумал, поблагодарил и немедленно исчез.

Мари пила чай, будто впервые в жизни. Попыталась жестами и вздохами передать, как ей вкусно, но Карла опять велела взять себя в руки, и Мари снова ощутила идущие от ее спутницы «флюиды» и увидела несколько светящихся дыр в ее ауре. Означало ли это что-нибудь плохое? Нет. Дыры выглядели, как затягивающиеся на глазах старые раны. Мари попыталась успокоить Карлу — она вполне могла беседовать о чем-нибудь, не выходя из транса.

— Ты влюблена в бразильца?

Карла не ответила. Одна из светящихся дыр слегка уменьшилась, и Мари попыталась сменить тему.

— Кто изобрел эту штуку? Почему ее не раздают бесплатно всем, кто ищет единения с невидимым — это ведь полностью меняет взгляд на мир?

Карла сказала, что ЛСД изобрели совершенно случайно и в самом неожиданном месте — в Швейцарии.

— В Швейцарии? Известной исключительно благодаря банкам, часам, коровам и шоколаду?

— И лабораториям, — закончила Карла. — Вначале предполагалось что это должно лечить... уже не помню, какую болезнь. Но как-то, уже несколько лет спустя, его создатель — или, скажем, изобретатель, — решил попробовать, что это такое они продают за бешеные деньги фармацевтическим компаниям всего мира. Отмерил себе совсем крошечную порцию, принял... и поехал домой на велосипеде, — времена стояли военные, и даже в нейтральной Швейцарии со всеми ее шоколадами, часами и коровами бензин выдавали по талонам, — и тут обнаружил, что все вокруг преобразилось.

Состояние Мари менялось. Карла решила, что нужно продолжать поддерживать беседу.

— В общем, этот швейцарец, — ты можешь меня спросить, откуда я это знаю, но это никакая не тайна, недавно вышла большая статья в одном журнале, я регулярно читаю его в библиотеке, — этот ученый понял, что не может ехать дальше. Он попросил кого-то из ассистентов, чтобы его проводили домой, потом решил, что, наверное,

Хиппи

лучше идти не домой, а в больницу, потому что
у него, должно быть, инфаркт.

И тут он, по его собственным словам — я их
в точности не помню, но было что-то вроде, что
он начал видеть *«такие цвета, которых никогда
прежде не видел и формы, каких никогда прежде не
встречал — и продолжал их видеть даже закрыв
глаза. Словно в огромном калейдоскопе появлялись
круги и спирали, били цветные фонтаны и текли
реки радости».* Ты меня слушаешь?

— Более или менее. Не уверена, что я за тобой
успеваю, многовато информации для одного раза:
Швейцария, велосипед, война, калейдоскоп... ты
не могла бы рассказать попроще?

Красный свет, стоп. Карла спросила еще чаю.

— Сделай над собой усилие. Смотри на меня и слушай, что я рассказываю. Сосредоточься.
Ощущение дурноты сейчас пройдет. Я должна
признаться — я дала тебе всего половину своей
прежней дозы.

Казалось, что уже от этих слов Мари стало
полегче. Официант принес чай. Карла заставила
свою спутницу выпить его, заплатила, после чего
девушки снова вышли на свежий холодный воздух.

— Ну, и что было дальше со швейцарцем?

Карла вернулась к истории, благо, она помнила, на чем остановилась. И в то же время она

спрашивала себя, удастся ли ей здесь достать сильное успокоительное — на случай, если состояние Мари ухудшится, и вместо райских врат перед ней распахнутся двери ада.

— Субстанцию, которую ты приняла, в течение пятнадцати лет свободно продавали в аптеках в США, а ты представляешь себе, как там все строго. Она даже появилась на обложке журнала Тайм — как лекарство для лечения психических расстройств и алкоголизма. Но в конце концов ее запретили, потому что эффект иногда бывал совершенно непредсказуемый.

— В каком смысле?

— Мы потом поговорим об этом. А теперь попробуй отойти от двери в ад и открыть врата рая. Наслаждайся. Не бойся, я тут, с тобой, и я знаю, о чем говорю. Твое состояние продлится еще часа два, не больше.

— Я закрываю двери ада и открываю врата рая, — сказала Мари. — Кстати, я могу контролировать свой страх, а ты свой — не можешь. Я знаю, я вижу твою ауру. И читаю твои мысли.

— Ты права. Но раз ты уже взялась читать мои мысли, прочитай там, что у тебя нет ни малейшего шанса умереть от этого, если, конечно, ты не вздумаешь забраться сейчас на крышу и проверить, не научилась ли ты, наконец, летать.

— Понятно. Мне кажется, эффект уже проходит потихоньку.

И поверив, что от наркотика она не умрет, и что девушка рядом с ней никогда в жизни не поведет ее на крышу, Мари ощутила, что ее сердце уже не колотится так сильно, и решила просто наслаждаться теми двумя часами, что у нее еще остались.

Все ее чувства — осязание, зрение, слух, обоняние и вкус — слились в одно, как если бы она могла ощущать ими всеми одновременно. Свет начал тускнеть, но у всех людей по-прежнему были ауры. Мари видела, кто из прохожих счастлив, кто несчастлив, кто обречен.

Все ей было в новинку. Не только потому, что они шли по Стамбулу, но и потому, что с нею теперь была другая, незнакомая Мари, глубже, насыщенней и древней, чем та, с которой она привыкла жить все эти годы.

А тучи все сгущались, возможно, предвещая грозу, и постепенно теряли четкие очертания, а смысл их становился неясен. Но теперь Мари знала, что у туч есть специальный код для бесед с людьми, и если она в ближайшее время будет подолгу глядеть в небо, она научится этот код расшифровывать.

Она задумалась, следует ли рассказать отцу, с какой целью они на самом деле ехали в Непал, и решила, что будет глупо свернуть с пути, раз они уже забрались так далеко. Лучше они сейчас откроют для себя все то, что позже им может не позволить возраст.

Отчего она так плохо знала себя? На память ей пришли некоторые неприятные детские переживания, но сейчас они уже не казались ей неприятными, они были просто частью ее опыта. Почему она так долго носилась со всем этим?

Впрочем, на эти вопросы можно было не отвечать, она чувствовала, что они каким-то образом отвечают сами на себя. Время от времени, когда она поглядывала на, как ей казалось, окруживших ее духов, в поле ее зрения попадали двери ада, но она твердо решила не открывать их больше.

Она блаженствовала в мире без вопросов и ответов. Без сомнений и уверенностей. Блаженствовала, ощущая себя неотделимой частью этого мира. Наслаждалась миром без времени, где прошлое и будущее были всего лишь настоящим. Сама она чувствовала себя то очень старой, то совсем ребенком и в поисках новых впечатлений то уставлялась на свои руки, глядя, как они двигаются отдельно от нее, то поглядывала на девушку рядом, радуясь тому, что она успокоилась и опять светится внутренним светом — она и впрямь была влюблена, тот вопрос Мари был совершенно бессмысленным, мы всегда знаем, когда мы влюблены.

Когда после почти двухчасовых блужданий они подошли ко входу в отель, — Мари сообразила, что голландка решила шататься по городу до тех пор, пока эффект от наркотика не пройдет, — раздался первый гром. И Мари поняла, что Бог обращается к ней и велит ей возвращаться в мир, потому что у них впереди еще много работы. Мари должна больше помогать отцу, который мечтал стать писателем, но до сих пор не написал ни единого слова, если не считать презентаций, эссе или статей.

Она хотела помочь отцу, как отец помог ей, он — об этом Мари просила у Бога, — должен прожить долгую жизнь, и однажды она выйдет замуж, хотя до сих пор даже не задумывалась об этом, считая замужество самым последним шагом в своей жизни без запретов и ограничений.

Однажды она выйдет замуж, и нужно, чтобы ее отец был счастлив и занимался бы тем, что ему по душе. Мари очень любила мать и не винила ее в разводе, но от всей души желала, чтобы отец встретил кого-нибудь, с кем бы ему было радостно делить свой путь по этой священной земле.

Теперь она понимала, почему был запрещен этот наркотик — будь он разрешен и доступен, мир бы остановился. Люди погружались бы в себя один за другим, миллионы схимников, отрешившихся от мира, медитирующих в своих внутренних скитах, безразличных и к предсмертным судорогам ближних, и к их славе. Машины бы остановились. Самолеты перестали бы взлетать. Никто бы не сеял и не жал, и все только проводили бы дни в блаженстве и восторге. И постепенно человечество было бы сметено с лица земли тем, что поначалу казалось ветром очищения, но потом превратилось в ураган массового уничтожения.

Она была послана в мир, принадлежала ему и должна была исполнять повеление Господне, переданное ей громовым голосом — работать, помогать отцу, бороться с тем, что ей кажется несправедливостью и, подобно всем остальным людям, принимать каждый день, как принимают бой.

В этом и заключается ее предназначение. И она намерена выполнять его до конца. Первый и последний кислотный трип Мари кончился — и она была очень этому рада.

В ту ночь их группа по обыкновению собралась и решила отметить свой последний стамбульский день в ресторане со спиртными напитками, где можно и поесть, и выпить, и снова пережить дневные впечатления, поделившись ими со всеми.

Пригласили и водителей, Рагула и Майкла. Те начали было отнекиваться, говоря, что правилами агентства это запрещено, но долго себя уговаривать не заставили и быстро сдались.

— Но вы же не будете просить, чтобы мы пробыли здесь еще один день? Это может стоить нам работы.

Нет, никто не собирался ни о чем просить. Впереди их ждала долгая поездка по Турции, и главное, путь их лежал через Анатолию, великолепный, по всеобщему мнению, край. Сказать по правде, все уже немного соскучились по бесконечно меняющимся пейзажам.

Пауло, успевший вернуться из своего загадочного места, знал, что наутро они уезжают. Он попросил у всех прощения и сказал, что хотел бы поужинать вдвоем с Карлой.

Никто не возражал, все только переглянулись с довольным видом, приветствуя эту «дружбу».

У двух женщин сияли глаза. У Мари и Карлы. Никто не спросил, почему, а они и не подумали объяснить.

— Теперь расскажи про свой день.

Пауло с Карлой тоже выбрали место, где подавали спиртное, и уже выпили по стакану вина.

Пауло предложил вначале сделать заказ, а поговорить потом. Карла согласилась. Теперь, когда она, наконец, стала настоящей женщиной, способной любить всем своим существом, не прибегая для этого к наркотикам, вино превратилось просто в часть ритуала.

Она уже знала, что ее ждет. Знала, о чем зайдет разговор. Знала с той самой минуты, когда они так восхитительно любили друг друга накануне — тогда ей захотелось разрыдаться, но она решила принять свою судьбу, как если бы все было давно предначертано. Всю жизнь она мечтала только об одном — о том, чтобы огонь охватил ее сердце, — и мужчина, бывший с нею и в ней, дал ей это. Но когда она накануне призналась ему в любви, его глаза не засияли, как ей рисовалось в ее воображении.

Она не была наивной девочкой, к тому же, она получила то, чего хотела больше всего на свете — она не блуждала больше в одиночестве по пустыне, но текла, словно вода в Босфоре по направлению к бесконечному океану, где встречаются все реки, и теперь она никогда не забудет ни Стамбула, ни тощего бразильца, ни его — не всегда внятные для нее, — речи. Он совершил чудо, но ему не нужно было об этом знать, чтобы чувство вины не вмешалось в его планы.

Они спросили еще бутылку вина. И только тогда он заговорил.

— Когда я пришел в Культурный центр, безымянный человек был там. Я поприветствовал его, но он не ответил мне на приветствие, его глаза были уставлены в одну точку, и все его состояние было похоже на транс. Я опустился на колени и попытался освободить голову от мыслей и начать медитировать, войти в соприкосновение с душами тех, кто танцами и песнями прославлял там жизнь. Я знал, что безымянный человек раньше или позже выйдет из транса, поэтому дожидался — то есть, не то, чтобы «дожидался» в прямом смысле этого слова, я будто бы полностью отдался текущему мгновенью, не ожидая абсолютно ничего.

Громкоговорители стали созывать город к молитве, человек вышел из транса и сотворил один из пяти дневных ритуалов. И только тогда заметил меня. И спросил, зачем я вернулся.

Я сказал, что провел всю ночь, вспоминая нашу встречу, и что я хотел бы посвятить себя суфизму. Мне очень хотелось рассказать ему, что я впервые в жизни любил, — потому что в постели, когда я был внутри тебя, я словно бы вышел из собственного тела. Никогда в жизни со мной не было ничего подобного. Но я решил, что это было бы неуместно, и ничего не стал рассказывать.

— Читай творения поэтов, — прозвучал ответ безымянного человека. — И хватит с тебя.

— Нет, не хватит, я нуждаюсь в дисциплине, в правилах, в месте, где я могу служить Господу, находясь как можно ближе к миру. До того, как прийти сюда впервые, я восхищался дервишами, танцующими и впадающими в транс. Теперь мне нужно, чтобы моя душа танцевала со мною вместе.

Мне придется ждать тысячу и один день, чтобы это произошло? Прекрасно, я подожду. Я много пожил — должно быть, вдвое больше, чем мои соученики по колледжу. Теперь я могу себе позволить потратить три года жизни на то, чтобы попытаться впасть в транс, подобный трансу танцующих дервишей.

— Друг мой, суфий — сын настоящего момента. В нашем словаре нет слова «завтра».

— Я знаю. Меня беспокоит только, должен ли я принять ислам, чтобы учиться суфизму.

— Нет. Ты должен дать один лишь обет — отдаться Божественному пути. Видеть лицо Бога в каждом стакане воды, поднесенном к устам. Слышать Его голос в голосе каждого нищего, просящего милостыню на улице. Все религии проповедуют это, и ты должен дать лишь этот обет — и никаких других.

— Мне пока еще недостает твердости, но с твоей помощью я надеюсь прийти туда, где небо встречается с землей — к человеческому сердцу.

Старец без имени сказал, что может мне помочь в этом, если я отрину всю свою прежнюю жизнь и буду послушен ему во всем. Если научусь просить милостыню, когда кончатся деньги, поститься, когда потребуется, ходить за прокаженными и обмывать их язвы. Проводить дни, не делая абсолютно ничего, уставясь в одну точку и раз за разом повторяя одну и ту же мантру, одну и ту же фразу, одно и то же слово.

— Продай свою мудрость и купи уголок в своей душе, чтобы заполнить его абсолютом. Потому что мудрость мужчин и женщин есть безумие перед лицом Бога.

— На мгновение я усомнился, что мне под силу все это — должно быть, он просто хотел проверить, готов ли я к абсолютной покорности. Но я не расслышал в его голосе ни тени колебания, и понял, что он говорит серьезно. И я знал, что хотя мое тело вошло в этот зеленый, разрушающийся зал с его разбитыми витражами, сквозь которые не проникал свет, потому что близилась гроза...

Я знал, что хотя мое тело вошло в зал, моя душа задержалась на пороге, решив вначале посмотреть, куда все повернет. Дожидаясь того дня, когда я совершенно случайно загляну в этот зал и увижу здесь других людей, кружащихся вокруг себя — и это будет не более, чем прекрасно поставленный балет. Мне было нужно не это.

Я знал, что если я сейчас не приму условий безымянного человека, другого раза не будет — дверь закроется передо мной, даже если я буду свободно входить и выходить, как это произошло в первый раз.

Безымянный человек читал в моей душе, видел мои сомнения и метания, но ни разу не показал, что готов в чем-то пойти мне навстречу — или все, или ничего. Он сказал, что ему надлежит вернуться к медитации, но я попросил, чтобы прежде он мне ответил на три вопроса:

— Берешь ли ты меня в ученики?

— Я беру в ученики твое сердце, я не могу отказать тебе в этом — в противном случае моя жизнь станет бесполезной. У меня есть два способа показать Богу свою любовь: первый — это возносить ему хвалы денно и нощно в тишине и пустоте этого зала, но это не нужно ни мне, ни Ему. И второй — петь, плясать и показывать всем Его лицо, отраженное в моем ликовании.

— Берешь ли ты меня в ученики? — спросил я еще раз.

— Птица с одним крылом не может летать. Учитель-суфий — ничто, если не может никому передать свой опыт.

— Берешь ли ты меня в ученики? — спросил я в третий и последний раз.

— Если завтра ты войдешь в эту дверь, как входил два дня подряд, я возьму тебя в ученики. Но я почти уверен, что ты пожалеешь об этом.

Карла налила вина им обоим и коснулась своим стаканом стакана Пауло.

— Мое путешествие кончилось, — повторил он, видимо, усомнившись в том, что она правильно его поняла. — Мне нечего делать в Непале.

Он был готов к слезам, к взрыву ярости, к отчаянию, к эмоциональному шантажу, ко всему, что можно было ждать сейчас от женщины, сказавшей прошлой ночью «Я тебя люблю».

Но она только улыбнулась.

— Я никогда не думала, что сумею полюбить кого-нибудь так, как я люблю тебя, — сказала Карла после того, как они осушили свои стаканы, и она снова их наполнила. — Мое сердце было запечатано, но это не имеет никакого отношения ни к психологам, ни к дефициту каких-то там веществ в организме. Я никогда не сумею объяснить того, что произошло, но в какой-то момент, не могу сказать точно, в какой именно, мое сердце открылось. Так что, я буду любить тебя до конца жизни. Я буду любить тебя в Непале. Я буду любить тебя, вернувшись в Амстердам. Когда я, наконец, влюблюсь в кого-нибудь другого, я буду по-прежнему любить тебя, может, просто немного не так, как сегодня.

Господи, — я не знаю, существуешь ли ты, но надеюсь, что ты тут и слышишь мои слова, — прошу тебя, не дай мне больше никогда в жизни довольствоваться своим собственным обществом. Дай мне мужества не бояться нуждаться в ком-нибудь и не бояться страдать, потому что нет страдания мучительнее, чем серая темная комната, куда никогда не заглядывает боль.

И пусть эта любовь, о которой столько говорили, которую стольке разделяли, от которой так мучились, пусть эта любовь ведет меня к неизвестному — к тому неизвестному, чьи очертания начали проявляться. Пусть, как сказал однажды поэт, пусть она ведет в край, где нет ни солнца, ни луны, ни звезд, ни земли, ни вкуса вина на губах, а только Тот, Другой, которого я встречу, потому что ты открыл ему дорогу.

И пусть я сумею идти, не нуждаясь в ногах, видеть, не нуждаясь в глазах и летать, не прося о том, чтобы у меня выросли крылья.

Пауло был ошарашен и в то же время доволен. Им обоим предстоял путь в неведомое — с кроющимися там ужасами и чудесами. В Стамбуле они могли посетить и увидеть столько достопримечательностей, о которых им рассказывали, но они решили навестить собственные души, и не было ничего лучше и сладостнее этого.

Он поднялся с места, обошел стол и поцеловал Карлу, зная, что нарушает здешние обычаи, что другие посетители могут оскорбиться, — он все равно поцеловал ее, и в его поцелуе была любовь, но не было похоти, было желание, но не было вины, потому что оба они знали, что это их последний поцелуй.

Он не хотел разрушать внезапное волшебство, но ему нужно было знать — и он спросил:

— Ты уже ожидала этого? Ты была готова?

Карла ничего не ответила, просто улыбнулась, и он так никогда и не узнал ответа — и это была настоящая любовь, вопрос без ответа.

Он настоял на том, чтобы проводить ее до автобуса. Водителю он уже сказал, что остается здесь, чтобы научиться всему, чему должен научиться. На мгновение ему остро захотелось повторить знаменитую цитату из Касабланки «у нас всегда будет Париж». Но он знал, что это вранье, к тому же ему следовало спешить, он должен был вернуться в зеленый зал, к своему безымянному учителю.

Люди в автобусе делали вид, будто ничего не видят. Никто не попрощался с ним, поскольку никто — кроме водителя, — не знал, что он в свой пункт назначения уже прибыл.

Карла обняла его без единого слова, но он почти физически ощущал ее любовь, будто свет, становящийся все насыщенней и ярче — так утреннее солнце освещает вначале вершины гор, потом равнины, а потом и море.

Двери закрылись, автобус отъехал. Еще слышался чей-то голос, воскликнувший: «Эй, а бразилец-то остался!» Но автобус был уже далеко.

Когда-нибудь он снова встретится с Карлой, и она расскажет ему, как прошло ее путешествие.

Эпилог

В феврале 2005, будучи всемирно известным писателем, Пауло приехал в Амстердам, чтобы провести там большую конференцию. Утром того же дня один из центральных голландских телеканалов взял у него интервью в прежнем его пансиончике, теперь превратившемся в респектабельную гостиницу для некурящих с высокими ценами и крошечным, но очень фешенебельным рестораном.

От Карлы вестей не было. Путеводитель «Европа за пять долларов в день» превратился в «Европу за тридцать долларов в день». Клуб Парадизо был закрыт — он открылся несколько лет спустя в качестве концертного зала, площадь Дам пустовала, теперь это была обычная невыразительная площадь с загадочным обелиском посередине — Пауло так и не узнал (и собирался продолжать в том же духе) — что он символизирует.

Его тянуло прогуляться по улицам, по которым они когда-то шли в ресторан с бесплатной едой, но он все время был не один — рядом с ним вечно вертелся кто-то из организаторов конференции. Он решил вернуться в гостиницу и подготовить речь для вечернего выступления.

Его не оставляла надежда на то, что Карла, узнав о его приезде, придет на встречу с ним. Он полагал, что в Непале она пробыла недолго и вернулась, точно так же, как сам он передумал становиться суфием, хотя и выдержал почти год ученичества и научился многому, что осталось с ним навсегда.

Во время конференции он частично рассказал историю, вошедшую в эту книгу. В какой-то момент, не в состоянии удержаться, он спросил:

— Карла, ты здесь?!

Ни одна рука не поднялась. Может, ее в самом деле не было в зале, может, она и знать не знала, что он приехал, а может, она пришла, но предпочла не возвращаться в прошлое.

Оно и к лучшему.

Женева, 3 февраля 2018

Все герои этой книги реальны, но у всех, — кроме двоих, — имена изменены (я не знал ничьих фамилий, и не сумел впоследствие никого разыскать).

Я описал свое собственное заключение в Понта Гросса (в 1968 году) и добавил некоторые детали других арестов — во время военной диктатуры меня арестовывали еще дважды (в мае 1974 года, когда я сочинял слова к песням).

Благодарю моего издателя Матинаса Сузуки Жуниора, мою подругу и агента Монику Антунес и мою жену, художницу Кристину Ойтисику (нарисовавшую карту, по которой проложен полный маршрут Мэджик Бас). Когда я пишу книгу, я запираюсь и практически ни с кем не разговариваю, я не люблю обсуждать свою текущую работу. Кристина делает вид, будто не знает, чем я занят, а я делаю вид, будто верю в это.

Литературно-художественное издание

Пауло Коэльо

ХИППИ

Ответственный редактор *М. Яновская*
Художественный редактор *К. Гусарев*
Технический редактор *О. Лёвкин*
Компьютерная верстка *О. Шувалова*

В оформлении обложки использована иллюстрация:
zizi_mentos / Shutterstock.com
Используется по лицензии от Shutterstock.com

ООО «Издательство «Эксмо»
123308, Москва, ул. Зорге, д. 1. Тел.: 8 (495) 411-68-86.
Home page: www.eksmo.ru E-mail: info@eksmo.ru
Өндіруші: «ЭКСМО» АҚБ Баспасы, 123308, Мәскеу, Ресей, Зорге көшесі, 1 үй.
Тел.: 8 (495) 411-68-86.
Home page: www.eksmo.ru E-mail: info@eksmo.ru.
Тауар белгісі: «Эксмо»
Интернет-магазин : www.book24.kz
Интернет-дүкен : www.book24.kz
Импортёр в Республику Казахстан ТОО «РДЦ-Алматы».
Қазақстан Республикасындағы импорттаушы «РДЦ-Алматы» ЖШС.
Дистрибьютор и представитель по приему претензий на продукцию,
в Республике Казахстан: ТОО «РДЦ-Алматы»
Қазақстан Республикасында дистрибьютор және өнім бойынша арыз-талаптарды
қабылдаушының өкілі «РДЦ-Алматы» ЖШС,
Алматы қ., Домбровский көш., 3«а», литер Б, офис 1.
Тел.: 8 (727) 251-59-90/91/92; E-mail: RDC-Almaty@eksmo.kz
Өнімнің жарамдылық мерзімі шектелмеген.
Сертификация туралы ақпарат сайтта: www.eksmo.ru/certification

Сведения о подтверждении соответствия издания согласно законодательству РФ
о техническом регулировании можно получить на сайте Издательства «Эксмо»
www.eksmo.ru/certification
Өндірген мемлекет: Ресей. Сертификация қарастырылмаған

Подписано в печать 06.09.2018. Формат 84x108¹/₃₂.
Гарнитура «Гарамонд». Печать офсетная. Усл. печ. л. 16,8.
Тираж 50 000 экз. Заказ № 5300.

Отпечатано в ООО «Тульская типография».
300026, г. Тула, пр. Ленина, 109.